SIÔN POW

Bardd y Gwya... ...on

Dinag rhont â'u hadenydd – gynhorthwy
    Gyfnerthol i'w gilydd:
    Y gadarnaf sythaf sydd
    I'r wannaf yn arweinydd.

A theg i gyfoethogion – gael addysg
    Y gwael wyddau gwylltion,
    I roi cymorth llawnborth llon
    Hyd y wlad i dylodion.

'A'r gŵr a aeth i'r gweryd
A wnâi'r gerdd yn aur i gyd'

Ieuan Fardd

'Gallai Siôn Powell ganu cywydd
rheolaidd yn null yr hen feirdd,
peth nas medrai na Goronwy Owen
na Lewis Morris'

Yr Athro G.J. Williams

* * * *

SIÔN POWEL WEHYDD

Bardd y Gwyddau Gwylltion

(1735c – 1767)

ei fywyd a'i gysylltiadau gan

CLEDWYN FYCHAN

ynghyd â gwerthfawrogiad a detholiad

o'i gerddi wedi'u golygu gan

EURGAIN FFLUR HUGHES

Gwasg Carreg Gwalch

Argraffiad cyntaf: 2021

ⓗ testun: Cledwyn Fychan
ⓗ gwerthfawrogiad/detholiad y cerddi: Eurgain Fflur Hughes
Diolch i Emlyn Williams, Llethr, Gwytherin, am gymorth a chydweithrediad
wrth grynhoi'r casgliad o ddarluniau at ei gilydd ar gyfer y gyfrol hon.

Rhif Llyfr Safonol Rhyngwladol:
978-1-84527-812-0

Cynllun clawr: Eleri Owen

Cyhoeddwyd gan Wasg Carreg Gwalch,
12 Iard yr Orsaf, Llanrwst, Dyffryn Conwy, Cymru LL26 0EH.
Ffôn: 01492 642031
Ffacs: 01492 642502
e-bost: llyfrau@carreg-gwalch.cymru
lle ar y we: www.carreg-gwalch.cymru

Argraffwyd a chyhoeddwyd yng Nghymru

I'r Teulu

i gofio am fy rhieni,
Llewelyn ac Elizabeth Elen Vaughan,
Tyddyn Nant-y-cwm,
fy chwaer Gwyneth,
fy mrodyr Ednyfed a Meurig,
a dwy nith Siân Wenlli ac Eldra Meurig

CF

RHAGAIR

Dau gant a hanner o flynyddoedd i'r mis y bu farw, sef 6 Mai 2017, dadorchuddiwyd cofeb i Siôn Powel ar safle'r Hen Efail yng Ngwytherin, y pentre lle cafodd ei fagu.

Gan fod cymaint o ffeithiau camarweiniol wedi'u cyhoeddi amdano yn y gorffennol, barnwyd ei bod yn bryd cymryd golwg o'r newydd ar hanes ei fywyd a'i gysylltiadau.

Er iddo farw'n bur ifanc, oddeutu un mlynedd ar ddeg ar hugain, y mae dros ddeugain o'i gerddi, caeth a rhydd, wedi'u cadw. Ceir rhestr ohonynt yn yr Atodiad ynghyd â'r unig lythyr o'i eiddo sydd wedi goroesi.

Canwyd marwnad iddo gan Ieuan Fardd, ac un arall gan Ddafydd Siôn Pirs. Ofer, ysywaeth, fu pob ymgais i ddod o hyd i eiddo Dafydd Siôn Pirs, cywydd a fyddai o bosibl yn datgelu manylion ychwanegol am Siôn Powel.

Dyma achub ar y cyfle i ddiolch; yn flaenaf i Eurgain Fflur Hughes (Williams gynt) am gytuno imi dresbasu ar ran o'i maes ymchwil, i Delyth Morgan am deipio sawl fersiwn o'r gwaith gydag amynedd di-ben-draw, ac i'm teulu am lu o gymwynasau ymarferol. Elwais ar sylwadau manwl Dr Cynfael Lake a ddarllenodd fersiwn gynharach o'r gwaith, a chefais fy achub rhag ambell i gam gwag gan Dr Daniel Huws. Myfi, wrth reswm, sy'n gyfrifol am unrhyw ddiffygion sy'n aros. Bu nifer o'm cyfeillion yng nghyffiniau Gwytherin a Llansannan yn hael eu cefnogaeth yn enwedig Emlyn Williams. Cefais gymorth parod yn y Llyfrgell Genedlaethol, Llyfrgell ac Archifau Prifysgol Bangor, archifau siroedd y Gogledd a Swydd Amwythig, ynghyd ag Amgueddfa Wlân Dre-fach Felindre.

Diolch arbennig hefyd i Myrddin ap Dafydd a'i gyd-weithwyr yng Ngwasg Carreg Gwalch am eu cymorth a'u gofal.

BYRFODDAU

ALMA *Additional Letters of the Morrises of Anglesey (1735-1786)*, gol. Hugh Owen (Llundain, 1947-9)

Arch C Gwasanaeth Archifau Conwy, Llandudno

Arch G Gwasanaeth Archifau Gwynedd, Caernarfon

BBGC *Blodeugerdd Barddas o Ganu Caeth y Ddeunawfed Ganrif*, gol. A. Cynfael Lake (Cyhoeddiadau Barddas, 1993)

BL British Library, Llundain

BWB J.H. Davies, *A Bibliography of Welsh Ballads Printed in the 18th Century* (Llundain, 1911)

Ba Llyfrgell ac Archifau Prifysgol Bangor

C Llyfrgell Ganolog Caerdydd

CG Heulwen Ann Roberts, *Cartrefi Gwytherin* (Cymdeithas Lenyddol Gwytherin, [2015])

CLlGC *Cylchgrawn Llyfrgell Genedlaethol Cymru*

CTMCT Geraint H. Jenkins, *Cadw Tŷ Mewn Cwmwl Tystion* (Llandysul, 1990)

G Casgliad Gwyneddon, Ba

GC *Goleuad Cymru*

GT *Gwaith Talhaiarn*, i-ii. (Llundain, 1855 a 1862), iii. (Llanrwst, 1869)

GTN *Gwaith Twm o'r Nant* (Llanuwchllyn, 1909)

HC	*Yr Herald Cymraeg*
HDSA	D.R. Thomas, *The History of the Diocese of St. Asaph* (Croesoswallt, 1908-13)
HHF	Robert Wynne Jones, *Hanes Hen Furddynod Plwyf Llansannan* (Conwy, 1910)
HMNLl	E.J. Jones, *Hanes Methodistiaeth yn Nosbarth Llangernyw* (Dinbych, 1926)
LlGC	Llyfrgell Genedlaethol Cymru, Aberystwyth
MC	John Hughes, *Methodistiaeth Cymru* (Wrecsam, 1851-6)
PH	'Y Piser Hir', LlGC: Mân Adneuon
PLl	Robert Wynne Jones, *Plwyf Llansannan: ei chwedloniaeth . . .* (Conwy, 1911)
RMRT	David Griffith, *Right Man, Right Time* (Bradford on Avon, 2000)
SHHTF	Alun Wyn Owen, 'A Study of Howell Harris and the Trevecka Family' (Traethawd M.A. Cymru, 1957)
TCHSDd	*Trafodion Cymdeithas Hanes Sir Ddinbych*
WWI	J. Geraint Jenkins, *The Welsh Woollen Industry* (Caerdydd, 1969)

CYSYLLTIADAU TEULUOL SIÔN POWEL

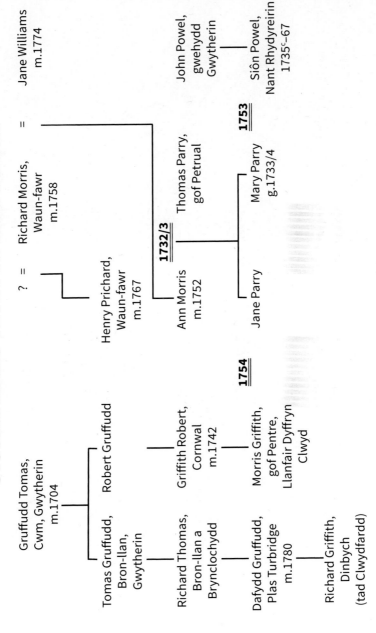

Gwytherin

Adfail Nant Rhydyreirin

SIÔN POWEL WEHYDD

Er mai â Rhydyreirin ym mhlwyf Llansannan y cysylltir Siôn Powel amlaf, mae digon o dystiolaeth ar gael erbyn hyn i ddangos mai ym mhlwyf Gwytherin y'i ganed. Yno hefyd yn ôl pob argoel y treuliodd y rhan helaethaf o'i fywyd byr. Mewn cadwyn o englynion i gyfarch Dafydd Gruffudd o Blas Turbridge ger Rhuthun dywed Siôn:[1]

> Bu annedd, wych wedd, i chwi, yn addas
> Nodded fy rhieni;
> Dyma'r llannerch i'w pherchi,
> Gwiwnod fan, y ganwyd fi.

Digwydd yr unig gopi o'r englynion hyn mewn llawysgrif yn llaw Twm o'r Nant, cyfaill i Siôn, ac yno, gyferbyn â'r drydedd linell uchod, ceir y geiriau 'yn Llan Gwytherin'. Gŵr â'i wreiddiau yng Ngwytherin oedd Dafydd Gruffudd (1722-80), yn fab i Richard Thomas [Gruffudd] (1685-1770), Bron-llan, ac yn ddiweddarach, o Frynclochydd, Gwytherin.[2] Gan fod gweddw Richard Griffith, unig fab Dafydd Gruffudd, Plas Turbridge, yn berchen nifer o fythynnod ym mhentre Gwytherin, ynghyd â thyddyn yr Erw ar ei gyrion, mae'n bosib mai yn un o'r rheini y magwyd Siôn Powel.[3]

Yn ôl Talhaiarn, y bardd, un ar bymtheg ar hugain oedd oed Siôn pan fu farw yn 1767, fyddai'n rhoi iddo ddyddiad geni oddeutu 1731.[4] Serch hynny ni ddylid rhoi gormod pwys ar ei dystiolaeth gan fod Siôn Powel ei hun, yn un o'r llawysgrifau a fu yn ei feddiant, yn nodi ei fod yn 23 mlwydd

---

1   Atodiad 34.
2   RMRT 15-18.
3   Map Degwm Gwytherin.
4   GT i. 22.

oed yn 1759 sy'n gosod dyddiad ei eni tua 1735-6.[5]

O droi at gofrestr eglwys Gwytherin am y cyfnod hwnnw, fe welir bod gwehydd o'r enw John Powel a'i wraig Margaret wedi bedyddio dau fab, Richard yn Chwefror 1730/1 a William yn Ionawr 1732/3. Y mae'n wir na cheir yno gofnod bedydd Siôn Powel (nac Ann, merch dybiedig iddynt) ond ni ddylai hynny fod yn rhwystr i dderbyn ei fod yntau'n fab iddynt gan nad oedd na pherson na churad yn orofalus o gofnodi popeth y dyddiau ysgafala hynny.[6]

Yng nghofrestr eglwys Llanfair Talhaearn, 5 Medi 1753, cofnododd Robert Thomas y Clochydd briodas 'John Powel' o blwyf Gwytherin â Mary Parry o dre ddegwm Petrual trwy drwydded. Y diwrnod blaenorol roedd Siôn a'i ddarpar dad yng nghyfraith, Thomas Parry, gof Petrual, wedi tystio nad oedd unrhyw rwystr cyfreithiol i wahardd y briodas, ymrwymiad a arwyddwyd gan Siôn ei hunan a Morris Griffith, gof, a oedd i briodi Jane, un arall o ferched Thomas Parry, y flwyddyn ganlynol.[7]

Ymgartrefodd y pâr ifanc yng Ngwytherin ble ganed eu plentyn cyntaf, Richard, cyn y Nadolig yr un flwyddyn. Bu farw'r un bach ymhen rhai wythnosau, a dyna hefyd fu tynged eu hail blentyn, John (m.1755), a'r trydydd, Henry (m.1756). Erbyn hynny roedd y teulu wedi symud i Nant Rhydyreirin, tyddyn bychan rhwng ffermydd Rhydyreirin a Bryn Nantllech ym mhlwyf Llansannan. Gan fod rhyw Robert Roberts, gwehydd, wedi byw yn Nant Rhydyreirin flwyddyn neu ddwy yn gynharach, mae'n bosibl y byddai yno wŷdd segur at ddefnydd Siôn. Mantais arall oedd y byddai'r ddau

5   C llsgr. 2.219, 37.
6   Codwyd pob cyfeiriad at fedydd, priodas a chladdu o gofrestri'r plwyfi unigol a gyhoeddwyd gan Gymdeithas Hanes Teuluol Clwyd (*Clwyd Family History Society: Parish Registers*).
7   LlGC: Ymrwymiadau Priodas Esgobaeth Llanelwy.

yn symud yn agos at deulu mam Mary a oedd yn byw yn lled esmwyth eu byd yn y Waun-fawr gerllaw.[8]

Yn Nant Rhydyreirin fe aned iddynt bum plentyn pellach; Henry arall, 1758; Anne, 1760; John arall, 1762; Robert, 1764; a Richard arall, 1767. Yna o fewn ychydig wythnosau i eni eu plentyn ieuengaf, bu farw Siôn Powel ei hun a'i gladdu yn Llansannan, 7 Mai 1767, yn un ar ddeg ar hugain oed.

Parhaodd y weddw i fyw yn Nant Rhydyreirin a chafodd beth cymorth gan ei phlwyf genedigol at fagu'r plant.[9] Ailbriododd â Rolant Jones, gwehydd arall, ac esgorodd ar bump neu chwech o ferched ychwanegol cyn cael ei gadael yn weddw'r eildro yn 1782.

Dywedwyd droeon i Siôn Powel fod yn glochydd ond go brin fod unrhyw sail i'r honiad. Dafydd Llwyd oedd clochydd Llansannan drwy gydol bywyd Siôn, tra bod clochyddiaeth Gwytherin, o ddechrau'r ddeunawfed ganrif, wedi'i dal yn ddi-dor gan bedair cenhedlaeth o'r un teulu.[10]

Cyn craffu ymhellach ar fywyd Siôn Powel, fe dâl sylwi ychydig ar ardal ei fagwraeth. Saif Gwytherin yn un o geseiliau gogleddol Mynydd Hiraethog, ond ni ddylid ei ystyried yn blwyf anghysbell. Bryd hynny âi'r briffordd o Ddinbych i Lanrwst trwyddo ryw filltir islaw'r pentre a cheid llwybr hwylus tros y mynydd yn ei gysylltu â Phentrefoelas ac Ysbyty Ifan yn y Wlad Uchaf. Gellir amcangyfrif bod o'i fewn bryd hynny ychydig yn brin o ddeng aelwyd a thrigain gyda chyfanswm y boblogaeth oddeutu 350. Yr unig deulu i berchen stad oedd Salbriaid Caerebnewid (enw gwreiddiol Plas Matw) yng nghwr isa'r plwyf ond daethai'r llinach i ben cyn dyddiau Siôn.[11] Mân rydd-ddeiliaid, ffermwyr a thyddynwyr

---

8   LlGC: SA 1758 a 1774: Ewyllysiau Richard Morris a Jane Williams, rhieni mam Mary, gwraig Siôn Powel.

9   Arch C: CEP 33/6/1 (1769-79).

10   *Y Faner*, 19 Chwefror 1988, 13.

11   Ba: Baron Hill, 2277-88 (1584-1719).

Mynwent Gwytherin
a'r cerrig hynafol

Rhos Domen
(safle dawnsfeydd a chwaraeon)

Safle'r efail wrth lidiart yr Eglwys gyda'r hen engan

oedd gweddill y boblogaeth ond gyda nifer dda o grefftwyr, yn ofaint, seiri maen a choed, cryddion, teilwriaid, gwehyddion a melinwyr, heb anghofio un meddyg.[12]

Yr hyn a sicrhaodd statws arbennig i'r lle oedd seintwar y santes Gwenfrewi. Yn ystod ei lencyndod byddai Siôn Powel yn sicr o fod wedi clywed hynafgwyr Gwytherin yn sôn am Gapel Gwenfrewi, adeilad bychan gerllaw'r eglwys, ac am y cleifion a gâi iachâd gwyrthiol o gael eu gosod i orwedd o dan y garreg fedd a gynhelid ar golofnau o fewn y capel. Hynny cyn i Richard Edwards, y Person, ddymchwel yr adeilad a defnyddio'r cerrig i godi tŷ iddo'i hunan rai blynyddoedd cyn geni Siôn. Mae'n bosibl, er hynny, bod gweddillion arch addurnedig Gwenfrewi yn parhau o fewn yr eglwys ei hun.[13]

Mae'n dra thebyg mai'r cysylltiad â Gwenfrewi a sicrhaodd i'r plwyf gyfres o bersoniaid dysgedig, a'r rheini, yn groes i'r arfer mewn llawer o blwyfi helaethach, yn byw yno'n barhaol. Heb fanylu gormod gellid enwi:[14]

1. Syr Robert Llwyd, y Person Llwyd (c.1537-79), bardd a noddwr beirdd.
2. Owain Fychan, M.A. (1602-46), brodor o Wytherin a arddelai berthynas â Wiliam Cynwal a'r Esgob William Hughes o Lanelwy. Yn ŵr ifanc bu'n gaplan i'r Esgob William Morgan.
3. Richard Hughes, M.A. (c.1655-74/5), noddwr beirdd.
4. William Meyrick, B.A. (1727-38), awdur *Patrwm y Gwir Gristion* 'llyfr gogoneddus ei Gymraeg'.

---

12 Arch C: CEP 10/2/1 (1710-79), 153 a 156.
13 Tristan Gray Hulse, 'The Shrine of St. Winifred', *Denbigh and its Past*, 10 (1995), 1-6; HDSA ii. 312-14.
14 HDSA ii. 315; TCHSDd, 28 (1979), 135-7, 158-61; Daniel Huws, 'W.M.A.B.', CLlGC, 18 (1973-4), 238-9.

5. Dafydd Llwyd, B.A. (1738-53), gŵr a gaiff sylw
    pellach yn y man.

Ceir yr argraff bod Gwytherin yn fwrlwm o adloniant yn
ystod llencyndod Siôn. Myn traddodiad lleol mai'r
canolfannau poblogaidd oedd 'Waun Chwaraefa' ar dir Cwm
Canol, Cefn Brynsiwn ar y ffin â phlwyf Llangernyw, ynghyd
â chroesffordd Rhos Domen a Phetrual i gyfeiriad
Llansannan a Llanfair. Yno yr âi'r ieuanc ar bnawn Suliau i
ddawnsio i gyfeiliant telyn a ffidl, i chwarae ceilys, ymaflyd
codwm neu ymladd ceiliogod; a'r chwarae weithiau'n troi'n
chwerw fel bod 'cŵn a dynion yn hanner llabyddio ei gilydd'.
Sonnir hefyd am chwarae anterliwt ym Mhetrual; sylwer mai
Twm o'r Nant fyddai un o'r actorion, ac i ferch gof Petrual
ddod yn wraig i Siôn Powel yn y man. Dau ddigwyddiad arall
o gryn bwys fyddai Ffair Gwytherin ar 25 Ebrill a'r Ŵyl
Mabsant ym mis Mai.[15]

Mewn llawer o ardaloedd byddai gweithdy'r gwehydd,
tŷ'r gwŷdd neu'r ffrâm fel y'i gelwid, yn gyrchfan boblogaidd
lle byddai'r ieuanc yn noswylio i ganu a chwedleua. Yn
Llanuwchllyn gynt fe ddywedid 'mynd i'r ffrâm' am fynd i
noson lawen.[16] Nid oes sicrwydd bod hynny'n digwydd yn
nhŷ'r gwŷdd yng Ngwytherin a Llansannan, ond mae'n werth
cadw hynny mewn cof wrth ystyried cefndir Siôn Powel.
Tybed ai mewn nosweithiau felly y canodd ei gywydd
'Marwnad Mab Bwlet' a 'Hanes Pannwr Aberdeunant'.[17]

Trwy roi gormod o bwyslais ar adloniant poblogaidd y
cyfnod, mae perygl anwybyddu'r caledi a'r gofidiau. Prin
iawn oedd cysuron y werin yn eu bythynnod toeon gwellt tra

---

15 HMNLl 103; GT iii. 214-5; PLl 72-4; LlGC llsgr. 2134, 35; LlGC: SA/RD/32-4.
16 Ifor Owen, 'Y Fron Heulog, Llandderfel', *Pethe Penllyn*, Mai 1994, 11.
17 Atodiad 23 a 31.

bo'r bonheddwyr ym moethusrwydd eu tai mawrion yn hollol ddi-hid o gyflwr y tlodion. Dyma thema sy'n brigo i'r wyneb yn rheolaidd yng nghanu Siôn Powel hyd yn oed pan fo'n canu ar destun megis y gwyddau gwylltion.[18]

Roedd marwolaeth ymhlith plant ifanc yn gyffredin; oni chollodd Siôn a Mary eu tri phlentyn cyntaf? Mamau ieuanc yn marw yn ystod genedigaethau. Y frech wen, hithau'n mynd â'i siâr o fywydau neu'n gadael creithiau dyfnion ar wyneb y sawl fyddai'n diengyd o'i chrafangau. Yn 1762, Blwyddyn y Farwolaeth Fawr, ysgubodd y 'fflwcs', fel y gelwid dysentri, drwy siroedd y Gogledd gan hawlio'i siâr yntau.[19]

Pryder parhaol oedd methiant y cynhaeaf ŷd, pris y grawn at wneud bara yn codi tu hwnt i bob rheswm a'r tlotaf yn newynu. Canlyniad sefyllfaoedd felly oedd terfysg. Yn 1740 aeth y 'mobs', crefftwyr o dref Dinbych, yn un haid arfog i ysbeilio grawn o ffermydd Llanefydd gan gwrdd â'r amddiffynwyr wrth fferm Tŷ Celyn lle bu brwydr ffyrnig rhwng y ddau lu. Bu terfysg arall yn 1765.[20]

Gofid arall a fyddai wedi bwrw'i gysgod dros Siôn Powel, fel llawer o rai eraill â theulu ieuanc i'w gynnal, fyddai'r 'presio' i'r 'traenbans' sef Milisia'r Sir.[21] Rhwng 1756 a 1763 ymladdai Prydain y Rhyfel Saith Mlynedd â Ffrainc ar gyfandir Ewrop ac yng Ngogledd America. Felly roedd galw mawr am filwyr ychwanegol. Yr un pryd roedd bygythiad gwirioneddol y byddai Ffrainc yn glanio byddin ar dir Prydain i geisio ailsefydlu'r Stiwartiaid ar yr orsedd fel oedd

---

18 Atodiad 35.
19 G. Penrhyn Jones, 'Some Aspects of the Medical History of Denbighshire', TCHSDd, 8 (1959), 58; E.D. Jones, 'Llyfrau Cofion a Chyfrifon Owen Thomas 1729-1775', CLlGC, 16 (1969-70), [43]-60, [148]-62, [381]-93.
20 ibid. 56.
21 ibid. 59, 151, 158, 160, 386.

wedi digwydd eisoes yn 1715 a 1745. Yr oedd amryw o deuluoedd dylanwadol yng Nghymru a fyddai wedi croesawu hynny, gan gynnwys, yn ôl pob sôn, Dafydd Llwyd, Person Gwytherin.[22]

Y dull o sicrhau milwyr oedd drwy dynnu 'lots', neu flewyn cwta o blith pob dyn rhwng deunaw a hanner cant oed, i gael pedwar o bob plwyf ar y tro. Roedd gan y cyfoethogion fodd i dalu i rywrai eraill i gymryd eu lle a byddai hynny'n digwydd yn aml. Go brin y byddai Siôn Powel mewn sefyllfa i wneud hynny ac mae'n bur debyg i'r bygythiad fod yn gwmwl ar y gorwel os nad uwch ei ben trwy gydol ei oes fer.

Cofeb i Siôn Powel

---

22 G. Milwyn Griffiths, 'Ymweliad Deon Gwlad Rhos â'i Ddeoniaeth yn 1729', TCHSDd, 13 (1964), 112; LlGC: Chirk Castle, E281, 4921 (6 Hydref 1742).

CEFNDIR Y TEULU

Ni lwyddwyd i ddod o hyd i gymaint ag un person yn dwyn y cyfenw Powel ym mhlwyf Gwytherin yn ystod y trigain mlynedd cyn ymddangosiad John Powel, tad Siôn, yno yn 1731.

Tueddai rhai crefftwyr i fudo cryn bellter i ymarfer eu crefft ac efallai i John Powel, y tad, ddod i Wytherin i lanw'r bwlch a adawyd wedi marwolaeth Edwart Dafydd y gwehydd yn 1724. Serch hynny ofer fu pob ymgais i'w gysylltu â gwehyddion o'r un cyfenw mewn rhannau eraill o Gymru.

Yn ei gywydd i ofyn am ddefnydd carfan gwehydd gan Ieuan Owen o Ddyffryn-aur, Llanrwst, dywed Siôn i'w dad dderbyn rhodd gyffelyb gan yr un gŵr yn gynharach:[23]

> Fy nhad ag *archiad* o'i gŵyn
> Dan *nodded* Ieuan addwyn
> A gâi es talm *gŵys* at wŷdd,
> Bren hynod, fel brenhinwydd.

Tybed a oes awgrym yn y geiriau mewn italig fod ei dad, yntau, wedi canu cywydd gofyn a bod y tad a'r mab, ill dau, o hil gerdd.

Os gwir hynny, efallai eu bod yn llinach y Siôn Hywel o Dai Pella, Gwytherin, y dywedir ei fod yn meddu doniau dewinol. Ceir dau draddodiad llafar hollol annibynnol yn cysylltu'r Siôn Hywel hwnnw ag achosion o ddadreibio ym Mrynclochydd, Gwytherin, a'r Benar, Penmachno, tua ail hanner yr ail ganrif ar bymtheg.[24] Yn anffodus ni lwyddwyd i ddod o hyd i'w enw mewn cofnod cyfoes i gadarnhau ei

---

23 Atodiad 33.
24 CG 116; Owen Gethin Jones, *Gweithiau Gethin* (Llanrwst, 1884), 243.

fodolaeth. Mae'n wir nad oes tystiolaeth ei fod yn fardd, ond roedd galluoedd dewinol yn cael eu priodoli i amryw o'r hen feirdd, megis Edmwnd Prys, Huw Llwyd o Gynfal a Thwm o'r Nant.

Pan briodwyd meibion John Powel, y tad: Richard yn 1751 a Siôn yn 1753, fe wnaethant hynny gyda thrwydded yn hytrach na'r gostegion arferol, sy'n awgrymu nad oedd y teulu yn brin o geiniog neu ddwy. Os felly, ni ddylid anwybyddu'r posibilrwydd eu bod o linach Poweliaid Brynbarcud, Llanfair Talhaearn, ar gyrion gogleddol plwyf Gwytherin, lle bu pedair cenhedlaeth ohonynt yn byw rhwng 1614 a 1734.[25] Ym Mrynbarcud y ceid y pandy agosaf i drin cynnyrch gwehyddion Gwytherin, ac roedd o leiaf un o'r teulu, sef Salsbri Powel (1668–1734), yn fardd.

---

25   CLlGC, 22 (1981), 189-94.

TRADDODIAD BARDDOL
Y GYMDOGAETH

Rhyw genhedlaeth neu ddwy cyn dyddiau Siôn Powel roedd nifer o feirdd ymhlith mân rydd-ddeiliaid, iomyn a chrefftwyr y gymdogaeth. Yn ogystal â barddoni eu hunain, byddai rhai ohonynt yn ymddiddori yn yr hen feirdd, yn copïo eu gweithiau ac yn casglu hen lawysgrifau. Cyfeiriwyd eisoes at Salsbri Powel a gellid ychwanegu enwau Siôn Byrcinsha, Cae-coed (gŵr y cafodd Siôn Powel un o'i lawysgrifau yn rhodd), a Rhys ap Rhobert, Nantymerddyn, y ddau o Lansannan; Ffowc Wyn o Blas Nantglyn a Ffowc Owen, Pennant Uchaf, Nantglyn, Siôn Parri o Gwmpernant, Bylchau, Edward Roberts, person Capel Garmon, a Wiliam Elis, clochydd Llanfihangel Glyn Myfyr.

Yn cydoesi â Siôn Powel ceid Dafydd Siôn Pirs, Robert Thomas, y clochydd, a'i dad Thomas Jones, y tri o Lanfair Talhaearn, Edward Parry a Dafydd James o Lansannan, a Thwm o'r Nant. Mewn cylch ychydig yn ehangach gellid enwi Siôn Rhisiart o Fryniog Uchaf, Llanrwst, Dafydd Jones o Drefriw, Elis Roberts, y cowper o Landdoged, Wiliam Thomas, y teiliwr o Gapel Garmon, a'r pwysicaf oll efallai, Siôn Dafydd Berson, yr hen athro barddol o Bentrefoelas.[26]

Dywed Siôn Powel ei hun am Ddafydd Gruffudd, mab Bronllan, Gwytherin, y cyfeiriwyd ato eisoes:[27]

> Difyr y'ch chwithau Dafydd, am leisio
> Mwyn felusiaith prydydd
> A chynnes eich awenydd,
> Glân erioed o galon rydd.

---

26 https://maldwyn.llgc.org.uk
27 Atodiad 34.

Ni chadwyd dim o'i waith ysywaeth; tynged llawer o gynnyrch barddol y cyfnod.

Nai i Ddafydd Gruffudd, drwy briodas, oedd John Foulkes (1746-84) o'r Wenallt, Llansannan. Yn ddeuddeng mlynedd ieuengach na Siôn Powel, byddai yn ei ugeiniau cynnar pan ganmolwyd ei ddysg farddol gan Ddafydd Siôn Pirs: [28]

> Ifanc, o ddidranc oedran,
> Hen, am ddysg loywddysg lân,
> Un a ŵyr beth aneiri
> Hanesion ein nasiwn ni
> . . .
> Chwiliodd, fe gloddiodd yn glau
> Hyd eigion gramadegau
> . . .
> Fe gâr waith gelfyddgar wedd,
> Byw wraidd ganiad beirdd Gwynedd.

28 GC, 3 (1823), 40-1.

EI ADDYSG

Pan briododd Siôn Powel yn ddeunaw oed, gallai arwyddo ei enw â llaw rwydd, sy'n awgrymu iddo gael rhyw gymaint o addysg ffurfiol. Nid oes sôn am ysgol yng Ngwytherin ar y pryd, ond rhwng 1738 a 1753, cyfnod ei blentyndod a'i lencyndod, roedd yno reithor nodedig a allasai fod yn ddylanwad pwysig ar un o'i blwyfolion ieuanc a ddangosai addewid. Gŵr o gyff Llwydiaid Bryniog, Llanrwst, oedd Dafydd Llwyd, wedi graddio o Goleg yr Iesu, Rhydychen, a thua'i ganol oed pan ddaeth i Wytherin.[29] Cafodd ganmoliaeth am ei ddiwydrwydd yn adroddiad y Deon Gwlad yn 1729, canmoliaeth a ategir gan yr arolwg trylwyr o eiddo a thiroedd Eglwys Gwytherin a gwblhawyd ganddo yn 1749.[30] Nid dibwys chwaith iddo danysgrifio i *Blodeu-gerdd Cymry* fel y gweddai i un o deulu Bryniog a fu'n noddi Edward Morris o'r Perthillwydion. Tybed a gafodd Siôn, drwy ddylanwad y Rheithor, gyfle i fynychu Ysgol Rad Llanrwst lle bu Gruffudd Llwyd o Fryniog yn brifathro yn gynharach? Y prifathro o 1730 hyd 1753 oedd John Jones, B.A., gŵr lleol yn enedigol o Ddeunant, Llansannan, yn ôl pob sôn. Bu'n gurad Capel Garmon o 1730 hyd ei farw yn 1779.[31]

Mewn gwirionedd yr unig gyfeiriad at ei addysg yw'r hyn a ddywed Siôn ei hun yn ei gywydd i gyfarch Dafydd Jones, bardd, casglwr a chopïydd llawysgrifau, argraffydd a

---

29 TCHSDd, 13 (1964), 112; HDSA ii. 143, 315, 320, iii. 125.
30 LlGC: SA TERR 149. Blwyddyn yn gynharach cafodd 3/6 am wneud arolwg tebyg o'r eglwys yn Llansannan, Arch C: CEP 10/2/1, 110. Bu LlGC llsgr. 27 'History of the Gwydir Family and other tracts' yn ei feddiant.
31 HDSA ii. 307-8, 341; John Ellis Jones, 'Llanrwst Grammar School . . .', TCHSDd, 67 (2019), 33-84; LlGC: SA 1779: Ewyllys John Jones, Capel Garmon.

chyhoeddwr llyfrau o Drefriw:[32]

> Buost reol ysgolddysg
> A threfn iawn athraw fy nysg,

cwpled sy'n cyfeirio, mwy na thebyg, at yr ysgol fechan a gadwai Dafydd Jones yn Nhrefriw rhwng 1738 a 1750.[33]

---

32 Atodiad 40.
33 CTMCT 179.

DYLANWADAU A CHYSYLLTIADAU

Llawysgrifau

Soniwyd eisoes am ddylanwad posib Dafydd Llwyd, y person, ar Siôn Powel. Bellach fe fydd yn werth cyfeirio at bedair llawysgrif Gymraeg dra phwysig y gwyddys eu bod yn yr ardal ar y pryd. Yn anffodus, fe gollwyd y pedair yn y cyfamser, er bod digon yn wybyddus am eu cynnwys i farnu y byddent wedi bod yn drysorfa amheuthun i egin fardd:[34]

1. 'Llyfr Cywyddau a Dyrïau' maint 4to (dros 303 tudalen)
2. 'Llyfr Dyrïau a Chywyddau' maint 8o (dros 103 tudalen)
3. 'Llyfr Dyrïau' maint fo (dros 91 tudalen)
4. 'Cronicl Kymraeg' o waith Ieuan Llwyd ap Dafydd; at yr hyn yr ychwanegwyd peth o waith Tomas Prys o Blasiolyn.

Y rhan fwyaf yn gywyddau gan feirdd gorllewin Sir Ddinbych a ganai yn ystod yr unfed a'r ail ganrif ar bymtheg, ac o leiaf ddwsin yn gywyddau na cheir copïau ohonynt yn unman arall bellach. Dyna dros 500 tudalen o gywyddau ynghyd â thraethawd helaeth ar hanes Cymru. A allai'r sawl a ymddiddorai yn yr hen ddysg farddol yng nghanol y ddeunawfed ganrif ddisgwyl amgenach darpariaeth ar garreg ei riniog?

---

34 CLlGC, 22 (1981), 199-201.

SIÔN TOMAS [CADWALADR]
(1680-1742)

Gŵr y byddai'n dda cael gwybod rhagor amdano a'i ddylanwad posibl ar y Siôn Powel ifanc, yw Siôn Tomas, perchennog y pedair llawysgrif. Ymddengys fod ei wreiddiau ym mhlwyf Llanfor, ac ar ochr ei fam yn llinach teuluoedd o blwyf Llangwm a fyddai'n noddi'r beirdd. Credir iddo ymgartrefu yn Nhy'n-llwyn, sef enw hen reithordy Gwytherin, yn ystod rheithoriaeth William Meyrick, gŵr arall o Lanfor, wedi i hwnnw godi rheithordy newydd yno tua 1729.[35]

Nid oes modd gwybod i sicrwydd ai ei eiddo ei hun, ynteu'r hyn a ddarganfu yn Nhy'n-llwyn, oedd y pedair llawysgrif dan sylw. Serch hynny, mae'r hyn sy'n hysbys am ei ddisgynyddion yn awgrymu y gallasai Siôn Tomas fod yn ŵr a ymddiddorai yn yr hen ddysg farddol. Mab iddo oedd Huw Jones, Bontgarreg, Cornwal, gŵr a luniodd a thystio i ewyllysiau nifer o'i gymdogion, a merch iddo oedd gwraig Twm o'r Nant. Gorwyrion i Huw Jones oedd Robert Hughes (Glancollen) a John Hughes (Ioan Cernyw), y ddau frawd o Ddyddyn Uchaf, Llangernyw, y rhoes Robert Griffith, awdur *Llyfr Cerdd Dannau*, ddarlun mor fanwl o'u diddordebau llenyddol yn ei hunangofiant, pan fu'n was gyda'r teulu:[36]

Yr oeddwn mewn lle rhagorol am ddigon o lyfrau a phapurau i'w darllen. Yr oedd y meibion yn derbyn yn rheolaidd ddau neu dri o babyrau [sic] Cymraeg bob wythnos: yr oeddynt hefyd yn derbyn Y *Drysorfa*, Y *Traethodydd* a'r *Brython* . . . Byddai'r hen ŵr [eu tad] yn

---

35 ibid. 197-8; CG 53-4.
36 Ba llsgr. 1002, 193-5.

arfer son wrthyf ei fod yn berthynas i Twm o'r Nant. Yr oedd [ynddo] dueddfryd cryf at farddoniaeth ac fel yr hen bobl erstalwm yn medru llawer iawn allan ar dafod leferydd . . . byddai yn adrodd i mi lawer o bethau megis hen ddywediadau Cymreig, a hen benillion Cymreig, nad oeddwn i erioed wedi eu clywed o'r blaen.

YSGOLION GRIFFITH JONES LLANDDOWROR

Daeth y gyntaf o ysgolion Griffith Jones i Wytherin yn 1749 a hynny drwy ddylanwad Dafydd Llwyd, y person, mae'n bur debyg. Cedwid pob ysgol am dri mis ar y tro gyda'r bwriad o ddysgu plant ac oedolion i ddarllen Cymraeg. Yn ystod y blynyddoedd dilynol cynhaliwyd yno gyfres o chwe ysgol gyda chyfanswm y disgyblion iau yn 258. Cadwyd pedair arall ym Mhetrual gyda 181 disgybl. Rhwng 1752 a 1763 cynhaliwyd 19 o ysgolion o fewn plwyf Llansannan; saith ym Mryn Rhydyrarian, chwech yng Nghrinllc, tair yn y Llan, dwy yn Rhydloyw ac un yng Ngwernllifon, cyfanswm o 676 disgybl. (Nid yw'r niferoedd hyn yn cynnwys yr oedolion a ddeuai i'r ysgolion nos).[37] Mae'n rhaid bod rhyw awydd neilltuol am allu darllen yn eu plith, pe bai'n ddim ond almanaciau a baledi. Tybed ai canlyniad yr ysgolion hyn oedd i un ar ddeg o drigolion Gwytherin a naw ar hugain o rai Llansannan danysgrifio i'r gyfrol *Dull Priodas Mab y Brenin Alpha* yn 1758.

Fe fyddai'r ysgolion hyn wedi dod yn rhy ddiweddar i fod o fudd uniongyrchol i Siôn Powel, ond fe aent beth o'r ffordd i sicrhau nad oedd bellach yn ynysig mewn môr o anllythrennedd.

---

37 *Welch Piety*, 1749-63; *Cymru*, 12 (1897), 181-4.

Y DIWYGIAD METHODISTAIDD

Cafodd Siôn Powel ei eni tua'r un pryd â thröedigaeth Daniel Rowland a Howel Harris, dau o arweinwyr y Methodistiaid, a gellid dweud iddo gyd-dyfu â'r Diwygiad. Naturiol felly fydd ystyried pa ddylanwad gafodd y Methodistiaid arno. Erbyn canol y pedwardegau, ac yntau tua deng mlwydd oed, câi pregethwyr o'r De eu croesawu ar aelwydydd Marged Conwy yn yr Henblas (adfail ar dir yr Henllys bellach), Llanfair Talhaearn, a chydag Edward Parry yng Nghefn-byr, Llansannan. Mae'n debyg mai i'r cyfnod hwnnw y perthyn cân gan fardd anhysbys yn dychanu'r Methodistiaid: [38]

> Yn Cefn-byr a'r Henblas, dwy deml gyweithas,
> I dorri'r rhai diras yn addas i'r ne';
> Os coelir eu gwagedd, mae 'rheini'n llawn rhinwedd
> A'u buchedd mor sanctedd â'r seintie.

Byddent hefyd yn pregethu ym Mhetrual lle'r arferid llwyfannu anterliwtiau, ac ar Ros Domen ble byddai'r ieuanc yn ymgynnull i ddawnsio a chwarae ar y Suliau. Trwy drawsfeddiannu'r safleoedd hynny, byddai'r Methodistiaid yn amharu ar yr adloniant traddodiadol ac yn ennill cynulleidfa barod, ond lled anfoddog efallai. Gwaith y Diafol oedd yr hen adloniant gwledig i'r Diwygwyr. Rhoes Edward Parry y gorau i chwarae mewn anterliwtiau yn 1747, [39] a phan droes Robert Morys, y crydd o Lanfair, at y Methodistiaid, fe dorrodd ei ffidl dros ei ben-glin, ymadael â'i wraig wrthwynebus a mynd â'i bedwar plentyn bach i fyw at y Teulu a sefydlwyd gan Howel Harris yn Nhrefeca.[40] A dyna

---

38 BWB xvi.
39 GC, 5 (1828), 466.
40 LlGC llsgr. Trefeca 3140, 38.

fu'r hanes drwy gydol y pumdegau; pobl yn gadael yr ardal i ymuno â'r Teulu yn Nhrefeca. Gellir amcangyfrif i oddeutu pymtheg ar hugain, yn oedolion a phlant, fynd yno o blwyf Llansannan, a nifer tebyg o'r pedwar plwyf cylchynol,[41] mwy efallai nag o unrhyw gymdogaeth arall gyfatebol yng Nghymru.

O ystyried yr erlid treisgar eithafol a wynebodd y Methodistiaid mewn trefi megis Dinbych, gellid tybied mai cymharol ddof oedd y gwrthwynebiad yng nghefn gwlad, er y dylid nodi ymgais aflwyddiannus unigolyn (gwas cyfreithiwr lleol yn ôl pob sôn) i anafu os nad lladd Lewis Ifan, Llanllugan, gyda ffrwydron wedi'u claddu dan ei draed pan oedd yn pregethu ar foncyn Rhos Domen.[42]

Dyna'r math o hanesion a fyddai wedi cylchdroi yn ardal Gwytherin yn ystod llencyndod Siôn Powel. Ond beth tybed fyddai ei agwedd at y Methodistiaid ac yntau'n perthyn i'r frawdoliaeth farddol? Beth hefyd fyddai ei ymateb i'r gamdriniaeth ddifrifol a gafodd Barbara Parri o Lansannan gan labwstiaid Dinbych pan aeth hi yno i wrando ar bregeth yn yr awyr agored tua 1752?[43] A beth am Farged Huws, y weddw o Fryn Nantllech, nid yn unig yn dioddef trais tebyg yn Ninbych ond yn cael ei throi allan o'i fferm drwy ymyrraeth Tomas Llwyd, person Llansannan, i fyw gyda'i chwe phlentyn yn ddiymgeledd ar y mynydd?[44]

Mae'n wybyddus i amryw o gydnabod Siôn gael eu denu gan y Diwygwyr. I enwi tri, bu Dafydd Jones o Drefriw yn mynychu eu cyfarfodydd a'u cael yn bobl dderbyniol:[45]

---

41 SHHTF 245-.

42 PLl 24-5; William Williams, *Welsh Calvinistic Methodists* (Bryntirion Press, 1998), 97.

43 Evan Moses, 'Chydig o Hanes bywyd Barbara Moses [Parri]', *Cylchgrawn Cymdeithas Hanes y Methodistiaid Calfinaidd*, 4 (1918), 24-6.

44 GC, 5 (1828), 447, 465; SHHTF 259.

45 CTMCT 180.

Ni welais gamwedde mewn tywyll na gole
Na bai ar eu geirie, rwy'n gwirio.

Cyfaddefodd Twm o'r Nant, ŵr caled fel ag yr oedd, iddo unwaith roi'r gorau i anterliwtiau, 'oblegid euogrwydd cydwybod, ac hefyd fy mod yn caru merch oedd yn tueddu at grefydd'.[46] Yn ddiweddarach condemniodd yn hallt y driniaeth gafodd Marged Huws, y soniwyd amdani eisoes, gan labwstiaid Dinbych:[47]

Hwy aent ar eu holau hyd y ffyrdd a'r caeau
Ac a wnaent bob ffieidd-dra, gresynnol i'w goffa;
Unwaith, mae hanes, y daliasant ddynes
A hynny'n flin wrthrych ger llaw i dref Ddinbych;
Pan ddeuent o hyd iddi hwy ymaflent ynddi
Gan ei chodi ar ei phen i gael bod yn llawen.

Fe ddywedir bod Dafydd Siôn Pirs (yr arch botiwr o Lanfair, yn ôl Talhaiarn) wedi ymuno â'r Methodistiaid yn Nhan-y-fron, Llansannan, yn ddiweddarach.[48]

Y mae'n amlwg oddi wrth y manylion a geir yn y cywydd marwnad a ganodd Siôn Powel i Siôn Rhisiart, y cynghorydd Methodistaidd o Fryniog Uchaf, Llanrwst, ei fod yn gydnabyddus iawn ag ef. Wrth gwrs, roedd y ddau'n feirdd, yn byw dim mwy na thair milltir, hediad brân, oddi wrth ei gilydd, a Siôn Rhisiart, bymtheg mlynedd yn hŷn, yn gymeriad hawddgar a chymeradwy gan bawb. Byddai Siôn Rhisiart yn pregethu yn ffermdy Llwyn-saint, Gwytherin.[49] A oes awgrym yn y llinellau a ganlyn i Siôn Powel fod yn

46 GTN 11.
47 Thomas Edwards, *Bannau y Byd* (Dinbych, 1808), 41-2.
48 GC, 5 (1827-8), 493.
49 HMNLl 104; MC i. 139-42.

bresennol yn rhai o'r oedfaon hynny?[50]

Dysgu gogoneddu Nêr
I'r dynion yn wâr dyner:
Addasgoeth yn addysgu,
Di-ffrost a di-fost a fu:
A'i gyngor oedd drysor drud
(Gu elw) yn well na golud.

Os teimlodd Siôn Powel dynfa tuag at y Methodistiaid, dichon y byddai wedi'i glaearu gan ei gyfeillgarwch â Ieuan Fardd pan fu hwnnw'n gurad Llanfair Talhaearn rhwng 1761 a 1766. Er bod Ieuan Fardd yn ymwybodol iawn o wendidau'r Eglwys Sefydledig, nid oedd ganddo lawer o amynedd â'r Methodistiaid. Ond go brin ei fod yn rhannu'r un rhagfarnau dychanllyd â Rhys Jones o'r Blaenau, William Roberts, awdur yr anterliwt *Ffrewyll y Methodistiaid*, a Morysiaid Môn.

---

50 Atodiad 9.

DAFYDD JONES o Drefriw
(1703^C-85)

Os oedd tad Siôn Powel yntau'n fardd, fel y mae lle i gredu, ni fyddai ryfedd yn y byd gweld Dafydd Jones yn galw heibio gweithdy'r gwehydd yng Ngwytherin yn ystod ei fynych deithiau gwerthu llyfrau a chwilio am hen lawysgrifau. Efallai mai rhyw gysylltiad felly a barodd fod Siôn, y mab, wedi cael rhyw gymaint o addysg yn ysgol fechan Dafydd Jones yn Nhrefriw, er bod cryn bellter rhwng y ddau le. Yno, mae'n sicr y byddai bachgen o anian Siôn wedi cael cyflwyniad i'r hen ddysg farddol yn ogystal â darllen ac ysgrifennu, dan law Dafydd Jones. Mae'n debyg felly mai dylanwad ei athro a barodd iddo ddechrau copïo gweithiau'r hen gywyddwyr yn gynnar. Fel 'John Powel, Gwytherin' y llofnododd un llawysgrif, sef Bangor 15599, felly roedd wedi dechrau copïo cyn 1756 pan symudodd i fyw yn Llansannan. Mae'r rhan fwyaf ohoni yn llaw Siôn Powel ac yn cynnwys detholiad o weithiau ugain neu ragor o feirdd a ganai o'r bedwaredd ganrif ar ddeg hyd y ddeunawfed.

Yn yr unig gywydd a ganodd Siôn i Ddafydd Jones, ceir prawf ei fod yn gydnabyddus iawn â'i hen athro. Gallai olrhain ei ach yn ôl sawl cenhedlaeth:[51]

> Dafydd . . . fab Siôn . . . ŵyr Dafydd . . . ap Siôn . . . ap Rhydderch . . . ap Lewis . . . ab Ieuan . . . ap Robert . . . llin Fredudd . . . gwaed o ryw da Gwedir deg.

Gwyddai hefyd am ei orchestion yn casglu ac astudio gweithiau'r hen feirdd:

---

51   Atodiad 40.

Cloddiaist yn ddyfn, dewrlyfn daith,
Fry tynnaist y Frutaniaith
A'i thlysau hen doethlwys hi,
Argoel iawn, i'r goleuni.

Efallai fod awgrym yn yr un cywydd i Siôn ymddieithrio oddi
wrtho yn ystod y pum mlynedd y bu Ieuan yn Llanfair, a'i fod
yn awyddus i ailafael yn y berthynas a fu rhyngddynt gynt:

A deuaf, hwyr addefaf hyn,
Ŵr difost, ar dy ofyn,
A'm h'wyllys sydd, gan 'mhellad,
Dafydd, fy mhenllywydd llad,
Dy gael, wr diogel iaith,
Gydamod, yn gydymaith
Annwyl, addwyn yng Ngwynedd
Yn lle Ieuan wiwlan wedd.

Canodd Siôn un cywydd yn gofidio am hen lawysgrif o waith
Dafydd ap Gwilym (eiddo i James Conwy, siopwr o dref
Dinbych) a syrthiodd i'r dŵr wrth iddi gael ei chludo dros
afon Conwy ar dywydd garw.[52] Efallai mai gan Ddafydd Jones
y clywodd Siôn am y digwyddiad, a phwy a ŵyr nad Dafydd
Jones ei hunan oedd wedi benthyca'r llawysgrif ac yn croesi'r
afon yn sgraff Tal-y-cafn ar ei ffordd adref i Drefriw pan
ddigwyddodd yr anffawd.

---

52 Atodiad 22; BL llsgr. 15060, 23b.

EVAN EVANS
(Ieuan Fardd/Ieuan Brydydd Hir) (1731-88)

O wybod am berthynas Siôn Powel â Dafydd Jones o Drefriw, mae'n ddigon tebyg y byddai wedi dod i gysylltiad â Ieuan tra'i fod yn gurad Trefriw a Llanrhychwyn rhwng 1759 a 1761. Yna, yn ystod y pum mlynedd canlynol pan oedd Ieuan yn gurad Llanfair Talhaearn, bu'n lletya cyfran, os nad y cyfan o'i amser, ym Mryncynthrig, plas bychan hynafol nad yw fawr mwy na milltir, hediad brân, o Nant Rhydyreirin.[53]

Ni fydd angen mwy o gyflwyniad i Ieuan rhagor na dyfynnu barn yr Athro G.J. Williams amdano: 'yr oedd Ieuan yn ysgolhaig mawr, yr ysgolhaig Cymraeg mwyaf yn y ddeunawfed ganrif'.[54] Yn wahanol iawn i rai aelodau ffroenuchel o blith Cylch y Morysiaid, byddai Ieuan yn mwynhau cwmni'r beirdd gwlad. Gwelwyd eisoes bod Siôn yn ymddiddori yn yr hen gywyddwyr ac wedi dechrau copïo eu gweithiau. Odid y gwelai yn Ieuan un a allasai ymestyn ei adnabyddiaeth ohonynt. Dyma'r union adeg pan oedd Ieuan yn astudio testunau cynnar y Cynfeirdd a'r Gogynfeirdd ac yn paratoi ei waith mawr, *Some Specimens of the Poetry of the Antient Welsh Bards*, a gyhoeddwyd yn 1764.

Ceir ambell nodwedd yng nghanu Siôn Powel sy'n awgrymu dylanwad Ieuan:

1. **Adnabyddiaeth o'r beirdd cynnar**, Cymreig a Chlasurol, yn ei gywydd i Robert Byrcinsha:[55]

---

53 TCHSDd, 28 (1979), 170.
54 G.J. Williams, *Agweddau ar Hanes Dysg Gymraeg* (Caerdydd, 1969), 105-6.
55 Atodiad 32.

Plethu, clymu, canu caid
Y tyner hen Frutaniaid.
Canwyd rhes gan *Daliesin*,
A'i fawl oedd beraidd o'i fin;
Dau Fyrddin difai urddas,
Gwiwdda fron, ac *Adda Fras*,
A *Gwalchmai* a ganai gerdd
Ddifloesgaidd o felysgerdd,
A *Rhys*, ŵr dyfrys difroch,
Glew ei gerdd, ac *Iolo Goch*,
A *Thudur*, ŵr nithiedig,
Aled, ŵr heb eiliw dig
. . .
Prydodd *Horas* melwas mad
A *Fyrsil* gynnil ganiad.
Cân bêr a wnaeth *Homer* hardd
Ac *Ofydd* enwog wiwfardd.

2. **Cyfieithu:** Yn *Y Brython*, 4 (1861), 232-4, rhestrir cynnwys un o lawysgrifau Robert Thomas, clochydd Llanfair Talhaearn, sydd bellach ar goll, ac yn eu plith:

'Awdl ar Ddioddefaint Crist, wedi ei throi o'r Groeg i'r Gymraeg ar fesur Cyhydedd Hir gan Ifan Ifans, Eglwyswr o Lanfair-Talhaiarn, 1764'
'Yr unrhyw yn Lladin gan Harri Iacob o Goleg Merton' [hen Goleg Ieuan Fardd]
'Yr un yn Saisoneg gan Abraham Cowley . . . '
'Yr Hymn uchod yng Nghymraeg, ar fesur Gwel yr Adeilad o gynghaneddiad Iohn Powel Wehydd, ar ddymuniad y Parchedig Ifan Ifans Curad Llanfair Talhaiarn'

Yn ffodus fe gyhoeddwyd cyfieithiad Siôn Powel yn *Dwy*

o Gerddi Newyddion: [2] Cerdd ar ddioddefaint Crist wedi ei throi o'r Groeg i'r Gymraeg gan Siôn ap Howell. (Argraffwyd gan Ddafydd Jones tros Harri Owen, 1784).[56] (Cyfansoddiad hollol wahanol yw 'Cywydd Byr ar Ddioddefaint Crist').[57]

3. **Mesur a thestun:** Efallai mai 'Awdl i'r Coler Du' gan Ieuan[58] oedd patrwm Siôn ar gyfer ei 'Awdl o Gwynfan Dyn Dan deimlad ei Wendid'.[59] Er bod y ddwy fwy neu lai ar yr un testun, nid oes ynddynt braidd yr un ymadrodd yn gyffredin. Canodd Siôn 'Awdl i Ladd Eiddig' ar yr un mesur.[60]

4. **Araith Bros:** Mae'n bur debyg mai Ieuan fyddai wedi cyflwyno Siôn i'r areithiau pros, math o ymarfer a roddid i gywion beirdd yn yr hen ysgolion barddol. Barnai G.J. Williams mai ymgais at araith o'r fath sydd yn y llythyr a anfonodd Siôn at Ddafydd Jones yn gysylltiedig â'r cywydd yn gofyn am gopi o'r *Cydymaith Diddan*.[61] Atodwyd llythyr, digon tebyg o ran ei arddull, gan Ddafydd Siôn Pirs, un arall o gyfeillion Ieuan, gyda'i gywydd yn gofyn am un o feiblau Peter Williams yn rhodd gan John Foulkes o'r Wenallt, Llansannan.[62] Ond cofier bod sawl araith wedi ei chynnwys yn yr Almanaciau, e.e. Almanac Siôn Rhydderch 1718.

Canodd Siôn ddau gywydd i Ieuan, y naill yn llawn hwyl a

---

56 BWB 360; Atodiad 18.
57 Atodiad 28.
58 BBGC 140-1.
59 Atodiad 14.
60 Atodiad 2.
61 Atodiad 42.
62 GC, 3 (1823), 40.

doniolwch wrth ofyn llodr (clos pen-glin) yn rhodd ganddo, a'r llall, cywydd i'w annerch, sy'n rhoi gwedd dra gwahanol i'r curad meddw, esgeulus a fynnir gan eraill:[63]

> Ni fagwyd a wnâi fugail
> Un gwell na Ieuan i'w gail;
> Ei braidd a gâr, ebrwydd gylch,
> Fendigaid, fyn'd o'i amgylch;
> Coleddwr, ymg'leddwr glân
> Y defaid ydyw Ifan.

Darlun a ategir gan ymateb Ieuan i ddigwyddiad yn ei blwyf. Nos Sadwrn yng Ngorffennaf 1762, darganfuwyd baban newydd-anedig wedi'i adael mewn gwrych yn agos i Blas Bychan. Gan fod amheuaeth a fyddai byw, anfonwyd am y curad yn gynnar fore Sul ac fe gyrhaeddodd Ieuan yno a bedyddio'r baban cyn wyth o'r gloch y bore.[64]

Un peth a allasai fod wedi tarfu ar gyfeillgarwch y ddau fyddai tuedd dybiedig Siôn at y Methodistiaid. Ond mae lle i gredu nad oedd Ieuan yn coleddu rhagfarnau rhai eraill o blith y Morysiaid. Er bod Ieuan yn ffieiddio eu diffyg goddefgarwch, 'such are the melancholy effects of Methodism!', meddai mewn llythyr at Edward Richard, ei hen athro, 'They cannot bear sound doctrine: nor indeed any doctrine but what has sanction of their own dogmatic teachers'.[65] Eto, roedd yn hael ei ganmoliaeth i Peter Williams a'i waith yn cyhoeddi argraffiad o'r Beibl yn 1770: 'I mae Rhagluniaeth Dduw ymhob oes yn cyfodi rhai dynion da. Ni waeth pa enw yn y byd a fo arnynt'.[66]

---

63 Atodiad 15 a 25.
64 LlGC: Llys y Sesiwn Fawr 4/53/4 f.19.
65 Aneurin Lewis, 'Evan Evans (Ieuan Fardd)' (Traethawd M.A. Cymru, 1950), 508.
66 ALMA ii. 677.

SIÔN DAFYDD BERSON
(1675–1769)

Athraw ydoedd ar wythran
Ymadrodd, amgylchoedd gân
Tad ydoedd, a da dywedwyd
I'r beirddion gwychion i gyd,[67]

meddai Dafydd Jones o Drefriw yn ei farwnad i Siôn Dafydd
Berson, y casglwr a chopïwr llawysgrifau ac athro barddol o
Bentrefoelas. Ato y cyrchai Jonathan Hughes o Langollen,
Huw Jones o Langwm, Elis Roberts, y cowper o Llanddoged
a Thwm o'r Nant. Gellid tybied y byddai Siôn Dafydd yn ŵr
wrth fodd Siôn Powel, ond mae'n debyg nad oes tystiolaeth
i gysylltu'r naill â'r llall. Mae'n wir bod llofnod rhyw 'John
Powell' ar un o lawysgrifau Siôn Dafydd ond nid eiddo Siôn
Powel mohono.[68]

---

67   TCHSDd, 28 (1979), 174-7.
68   BL llsgr. 31055.

DAFYDD JAMES
(1735^C-1802)

Rhywbryd cyn 1764 canodd Siôn Powel 'awdl i ladd Eiddig dros Ddavydd ap Iago'[69] sef, mae'n debyg, y Dafydd James o Lansannan y bu Siôn yn dyst i'w briodas â Gwen Wiliams yng Ngwytherin, 6 Chwefror 1764. Gellid dadlau mai merch i Domas Wiliams o Bant-y-clyd, ger Melai, a fedyddiwyd yn Llangernyw ddiwedd 1731, oedd Gwen; mae ei hoedran pan fu farw yn gweddu. Gan ei bod oddeutu deg ar hugain oed yn priodi, efallai iddi fod yn forwyn yn un o ffermydd Gwytherin am dymor helaeth ac mai ei meistr, yn anfodlon ei cholli, oedd Eiddig. Efallai iddo wrthwynebu'r briodas pan gyhoeddwyd y gostegion yn eglwys Gwytherin ac mai dyna beth gythruddodd Siôn i ganu:

Naw wb i Eiddig, ni bu addas
Ei ymgais heddiw megis Suddas,
A'i gau dystiolaeth, gaeth o gas ogan,
A'i brath ei hunan a'i berthynas.

Yn dilyn eu priodas buont yn byw weddill eu bywyd yn nhreddegwm Treflech, Llansannan - yn un o'r tair Allt-ddu efallai, lle bu'r dau farw, ac felly'n gymdogion lled agos i Siôn Powel.

Athro yn ysgolion Griffith Jones o Landdowror oedd Dafydd James, ac mewn llyfryn bychan o'i eiddo ceir rhestrau o enwau'r rhai fu'n mynychu ei ddosbarthiadau ym mhlwyfi Gwytherin, Llansannan a Llangernyw yn ystod y blynyddoedd 1763-71.[70] Copïodd iddo hefyd beth o waith

---

69 Atodiad 2.
70 LlGC: CMA 14912.

Siôn Powel, gan gynnwys englyn yn mydryddu ach Dafydd nas ceir yn unman arall:[71]

Dafydd ail ogwydd i Iago – Edward,
    Doder Dafydd eto,
  ap Thomas da dras, da i dro,
  Dan wych farn, dyna i ach fo.

Go brin bod Dafydd yn frodor o Lansannan, ac efallai na ddylid anwybyddu'r posibilrwydd mai ef oedd y Dafydd ab Iago o 'Dal-y-waun' y canodd Rhys Jones o'r Blaenau, Llanfachreth, gywydd i gydnabod derbyn awdl a chywydd o'i eiddo.[72] Efallai fod Rhys Jones yn athro barddol i Ddafydd gan ei fod yn ei annog i astudio gweithiau'r hen feirdd:

Astudia yn wastadawl
Waith yr henfeirdd heirdd eu hawl.
Eu hawdlau,'n bynnau beunydd,
A'u cywyddau'n siamplau sydd,-
Aur ged i'w dilyn ar goedd
A'u sisial yn oes oesoedd.

Nid oes, ac ymddengys na fu, le o'r enw Tal-y-waun yng nghyffiniau Llansannan, ond gan fod Dafydd James yn symudol yn rhinwedd ei swydd, gallai fod mewn aml i fan. Ceir Tal-y-waun ger Tal-y-cafn (SH 779 716), yn ardal Deiniolen (SH 595 632), ger Capel Curig (SH 717 593) ac ar gyrion Dolgellau (SH 698 170) lle gwyddys bod teulu a arferai letya ymwelwyr y dyddiau hynny. Ni cheir dim o waith Dafydd James nac unrhyw awgrym o'i gynefin yn y

---

71 Atodiad 8.
72 BBGC 70-3.

llawysgrifau, ond tybed a oedd yn frawd i Evan James (Ieuan ab Iago), bardd o'r un cyfnod a gysylltir â Llanfachreth lle roedd cartref Rhys Jones o'r Blaenau?

Os cywir uniaethu Dafydd James, Llansannan, â disgybl Rhys Jones o'r un enw, byddai hynny'n fodd i esbonio sut y daeth Siôn Powel i gysylltiad â'r bardd o'r Blaenau. Yn 1759, ac yntau'n dair ar hugain mlwydd oed, cafodd Siôn lawysgrif yn rhodd gan John Hughes o Bentre-du, Llanfair Talhaearn.[73] Ar dudalen 11 o'r llawysgrif honno mae englyn i Farwolaeth Fawr 1762 y credir ei fod wedi'i ysgrifennu yn llaw Rhys Jones ei hun.[74]

Dafydd James ynghyd ag Edward Parry a Thwm o'r Nant oedd y tri a luniodd y llyfryn bychan Y Perl Gwerthfawr a gyhoeddwyd yn 1764.[75] Mae'n rhaid nad oedd Siôn yn rhan o'r fenter er ei fod yn gyfaill i ddau o'r tri.

73   C llsgr. 2.219.
74   Daniel Huws, A Repertory of Welsh Manuscripts and Scribes c.800-c.1800 (i ymddangos).
75   William Rowlands, Llyfryddiaeth y Cymry (Llanidloes, 1869), 476; GC, 5 (1828), 516.

ROBERT THOMAS
Clochydd Llanfair Talhaearn (1704-74)

Rhyw flwyddyn wedi iddo ymadael â Llanfair, dywed Ieuan Fardd fel hyn am Robert Thomas mewn llythyr at Richard Morris:

> Hên wr godidog ydyw'r clochydd yno, anaml iawn y cair yn Gymru bersoniaid o'i fath. I mae yn deall Lladin a Hebraeg, Saesoneg a Chymraeg yn odiaeth. I mae yn deall yr hên feirdd yn lew iawn . . . Cristion da ydyw, a gwybodol mewn llawer o gelfyddydau cywrain.

Gwrthodwyd urddau eglwysig iddo am fod ganddo blentyn gordderch.[76] Ef hefyd oedd ysgolfeistr Llanfair o tua 1728 hyd ei farw. Er nad oedd ond rhyw wyth milltir, y ffordd fyrraf, o Wytherin i Lanfair, nid oes tystiolaeth i Siôn Powel fynychu'r ysgol yno. Ond mae'n anochel y byddai'r ddau wedi dod i gysylltiad â'i gilydd yn gynnar gan mai yn Llanfair y priodwyd Siôn ac yno y bedyddiwyd ac y claddwyd dau o'i blant yn fabanod. Roedd Robert Thomas yn gyfaill i Ddafydd Jones o Drefriw, a chanddo gasgliad helaeth o lyfrau a llawysgrifau. Diogelwyd amryw o gerddi Siôn Powel mewn o leiaf bedair llawysgrif a fu ym meddiant Robert Thomas ac mae llawysgrif Bangor 15599 yn llaw y naill a'r llall ohonynt.

---

76 ALMA ii. 705; GT i. 16; LlGC: Casgliad W.J. Ellis, Aberdaron: Llythyr oddi wrth Thomas Williams, Coedcochion, Llanfair Talhaearn, 25 Rhagfyr 1792.

DAFYDD SIÔN PIRS
Llanfair Talhaearn (1732-82)

Câi ei adnabod fel Dafydd Jones o Lanfair, Dafydd Brydydd Hir a Dafydd Siôn Pirs. Ei rieni oedd yn cadw tafarn yr *Harp* yn Llanfair, cartref Talhaiarn, y bardd, yn ddiweddarach. Yn ôl Talhaiarn, roedd Dafydd yn gyfaill a chyd-botiwr i Ieuan Fardd. Dywed hefyd ei fod yn chwaraewr anterliwtiau nodedig ac iddo unwaith yrru 'gwahoddiad i Siôn Powel i ddod i Lanfair i chwarae gydag ef'.[77] Os gwir hynny, ac iddo dderbyn, dyna'r unig awgrym o ymwneud Siôn Powel â'r anterliwt. Er iddo gael ei hyfforddi i fod yn deiliwr, ni fu Dafydd yn hir cyn troi'n athro ysgol. Yn ddiweddarach aeth i fyw i Landrillo-yn-Edeirnion lle bu farw. Canodd gywyddau i amryw o fonheddwyr y gymdogaeth ac i Ieuan Fardd. Yn un o'i lythyrau cyfeiria Robert Thomas, y clochydd, at gywydd marwnad Dafydd i Siôn Powel, ond hyd yma, ofer fu pob ymgais i ddod o hyd i gopi ohono.[78]

---

77 GC, 3 (1823), 40; GT i. 16-20.
78 ALMA ii. 735-6.

TWM O'R NANT
(1739-1810)

Er bod Twm o'r Nant bedair blynedd yn iau na Siôn Powel ac wedi'i fagu yng Nghwm Pernant, Nantglyn, cryn bellter o Wytherin, mi fyddai'r ddau wedi dod i adnabod ei gilydd yn bur gynnar. Yn lled ifanc chwaraeai Twm mewn anterliwtiau ym Mhetrual, lle roedd cartref Mary, gwraig Siôn. Gwyddys hefyd i Dwm fod yn canlyn dwy ferch o'r cyffiniau: Ann Stephen/Styfn o Bontsyllty ac Elsbeth Huws, Bontgarreg, ei wraig yn ddiweddarach.[79]

Diogelwyd nifer o englynion gan Siôn yn rhai o lawysgrifau Twm o'r Nant, gan gynnwys dau englyn i gyfarch Twm ei hun.[80] Yn ôl 'Cywydd Hanes Henaint' o waith Twm o'r Nant, roedd 'Siôn Powel, gwirffel gân' ymhlith nifer o feirdd lleol a oedd yn ei briodas yn eglwys Llanfair Talhaearn, 19 Chwefror 1763.

---

79 GTN 3-28; GT i. 23-4, iii. 214-5.
80 Atodiad 7 a 37.

EDWARD PARRY
(1723-86)

O ystyried cysylltiadau'r ddau â Dafydd James a Thwm o'r Nant, y mae'n anochel y byddai Siôn Powel ac Edward Parry wedi bod yn gydnabyddus â'i gilydd os nad yn gyfeillion, er nad oes cofnod pendant ar gael. Edward Parry oedd un o bersonoliaethau amlycaf ei ddydd yn Llansannan. Yn ddeuddeng mlynedd hŷn na Siôn, bu'n brydydd ac yn actiwr anterliwtiau cyn dod yn gynghorydd Methodistaidd, yn emynydd a chyfieithydd testunau crefyddol i'r Gymraeg ac awdur nifer o lyfrau. O gofio am edmygedd Siôn o Siôn Rhisiart o Fryniog, cynghorydd Methodistaidd arall, mae'n bur debyg y byddai'r berthynas rhyngddynt wedi bod yn amlycach oni bai am bresenoldeb Ieuan Fardd yn yr ardal.[81]

---

81 T. Brynmor Davies, *Edward Parry, Bryn Bugad* (Llawlyfrau Llansannan, d.d.), 1; MC i. 142-7; Thomas Roberts, 'Cofiant am Edward Parry ...', GC, 5 (1827-8), 420-2, 446-8, 464-7, 490-4, 516-18, 539-41, 558-9.

JAMES PRICE M.A.
(1715-82/5)

Gŵr y byddai'n dda cael gwybod pa gysylltiad a fu rhyngddo
a Siôn Powel oedd James Price a wnaed yn ficer Llansannan
yn 1758. Ei dad oedd Ellis Price, ficer Treffynnon, a'i daid,
Andrew Price, yn ficer Ysgeifiog. Roedd yntau'n daid i John
Price, y naturiaethwr a'r hynafiaethydd; cymeriad hynod a
adnabyddid fel Old Price.[82] Yn ei ewyllys yn 1782, mae'n
cyfeirio at 'all my books and manuscripts and my pictures' a
gwyddys iddo danysgrifio i o leiaf un llyfr Cymraeg, *Y
Credadyn Bucheddol* gan Risiart ap Robert, 1768. Gellid tybied
ei fod yn ddiwydiannwr llwyddiannus. Yn ogystal â thir a
gwaith mwyn plwm, sef Ffynnon-y-cyff yn Ysgeifiog, roedd
yn berchen cyfranddaliadau mewn gweithfeydd mwyn yn
siroedd Dinbych, y Fflint ac yn Swydd Derby.[83] Yn fuan wedi
ymddangosiad James Price yn Llansannan, ceir cyfeiriadau
at fwynwyr yn y plwyf ac yn eu plith un Joseph Powel y bu
Siôn Powel yn dyst i'w briodas ar 9 Mai 1759. Yn y cyswllt
hwn mae'n ddiddorol sylwi bod Siôn Powel, yn ei gywydd i
Ddafydd Jones o Drefriw, yn ei gyffelybu i fwynwr:[84]

Tebygaidd wyd, heb ogan,
I ŵr o fwyn gloddiwr glân
Yn atgor am drysorau
A budd dôr gudd daear gau.
Cloddiaist yn ddyfn, dewrlyfn daith,
Fry tynnaist y Frutaniaith
A'i thlysau hen doethlwys hi,
Argoel iawn, i'r goleuni.

82 HDSA ii. 58.
83 LlGC: SA 1782.
84 Atodiad 40.

Mae'n debyg nad oedd James Price, mwy na'i ragflaenydd, yn gyfaill i'r Methodistiaid a byddai'n annog rhai i aflonyddu ar eu cyfarfodydd. Ysgogwyd Edward Parry i gyfeirio llythyr ato; llythyr a gafodd sylw mawr ar y pryd gyda phregethwyr yn galw heibio'r awdur i gael ei ddarllen.[85] Nis cyhoeddwyd erioed, ac nid oes gopi ohono ar gael bellach, ond dywedir nad oedd, o ran ei gynnwys, yn annhebyg i eiddo Robert Jones, Rhos-lan: *Lleferydd yr Asyn . . . Copi o lythyr at wr urddasol a anfonodd ei was i aflonyddu ar addoliad Crefyddol.*

---

85   GC, 5 (1828), 516.

JOHN ROBERTS

Clociwr a bardd oedd John Roberts nad oes ond tair o'i gerddi wedi goroesi. Ceir y cyfeiriad cynharaf ato yn 1759 pan oedd yn byw yn Rhiwabon ac yn tanysgrifio i *Dewisol Ganiadau yr Oes Hon* gan Huw Jones o Langwm. Ac yno y flwyddyn ganlynol y ganed ei fab, y Parchedig Peter Roberts (1760-1819), awdur *The Cambrian Popular Antiquities*. Erbyn 1764 roedd John Roberts wedi symud i rif 3, 'Town Hill', Wrecsam, lle bu'n dilyn ei grefft hyd 1771 o leiaf.[86] I Wrecsam yr anfonodd Siôn Powel bedwar englyn i gyfarch John Roberts, 'brydydd newydd dinam', gan ddweud bod sôn amdano drwy'r sir a'i annog i 'ddosbarthu' cynnyrch ei awen:[87]

Os perffaith dy waith dan do, nod ceinmyg,
 Nid cymwys ei guddio:
 Ar fai, os amur yw fo,
 Ai di-lân paid a'i lunio.

Gan fod John Roberts yn byw ymhell tu hwnt i gylch gweddol gyfyng o brydyddion y byddai Siôn Powel yn ymwneud â hwy, gellid gofyn sut y bu i'r ddau ddod i gysylltiad â'i gilydd. Un posibilrwydd yw bod Siôn yn mynychu'r farchnad frethyn agosaf i wehyddion cyffiniau Dyffryn Clwyd a gynhelid yn Wrecsam.

---

86 Iorwerth C. Peate, *Clock and Watch Makers in Wales* (Caerdydd, 1975), 73.
87 Atodiad 11.

THOMAS WILLIAMS
Llanllechid (1689-1763)

Rhydd-ddeiliad bychan a alwai ei hunan yn 'Merchant Taylor' oedd Thomas Williams. Roedd hefyd yn anterliwtiwr, yn fardd, yn hanesydd o ryw fath ac yn awdur rhai llyfrau. Fel llawer o'i debyg, roedd hefyd yn destun gwawd i'r Morysiaid.[88] Yn un o lawysgrifau Thomas Williams, torrodd Siôn Powel ei enw ddwywaith: 'John Powel [?], 1757' a 'John Powel of Llansanan in Denbighshire',[89] sy'n tystio i'r ddau fod mewn cysylltiad â'i gilydd.

Awgryma'r teitl 'Merchant Taylor' a arddelai Thomas Williams y byddai'n prynu brethyn a gwlanen gan y gwehyddion i'w masnachu a byddai hynny'n un modd o esbonio'u cysylltiad. Ond ceir hefyd beth tystiolaeth sy'n awgrymu ei fod yn frodor o blwyf Llanfair Talhaearn ac o'r un gwreiddyn â theulu Williams, Pontygwyddyl.

---

88 Dafydd Glyn Jones, 'Thomas Williams yr anterliwtiwr 1689-1763', *Trafodion Cymdeithas Hanes Sir Gaernarfon*, 57 (1996), 7-46.
89 BL llsgr. 15005.

GRUFFUDDIAID GWYTHERIN

Bu'r tylwyth hwn yn amlwg iawn yng Ngwytherin am genedlaethau. Pan wnaeth Gruffudd Tomas, y Cwm, ei ewyllys yn hen ŵr pedair a phedwar ugain mlwydd oed yn 1704, roedd yn ddigon esmwyth ei fyd a chanddo ddisgynyddion mewn nifer o ffermydd cyfagos:[90] gwŷr a gwragedd y byddai Siôn Powel wedi bod yn gydnabyddus â hwy hanner can mlynedd yn ddiweddarach (gweler 'Cysylltiadau Teuluol Siôn Powel').

Ar ddiwedd y gyfres o englynion i Ddafydd Gruffudd, Plas Turbridge, gorwyr Gruffudd Tomas, sonia Siôn Powel am y nawdd a dderbyniodd gan ei dad, sef Richard Thomas [Gruffudd], Bron-llan, ac yn ddiweddarach o Frynclochydd:[91]

Ces fil gwledd, cu oes fael glyd
Gain wych hyd dydd gan eich tad,
Llwyr hap râdd a llawer pryd,
A chan rhodd a chiniaw rhad.

Nid dibwys chwaith ei gyfeiriad at hoffter Dafydd Gruffudd o farddoni:

Lliniaw cân rwyddlan ddi-roch yn ieuanc
    Iawn awen y buoch,
    Mae beunydd a bydd tra boch
    Eto'r un natur ynoch.

Yr oedd mab Dafydd Gruffudd, sef Richard Griffith, y clociwr o Ddinbych (a thad Clwydfardd), yntau'n fardd ond

---

90 LlGC: SA 1704; CG 9, 19, 39, 62.
91 Atodiad 34.

ymddengys nad oes dim o waith y naill na'r llall wedi goroesi.[92]

Cyfyrder i Ddafydd Gruffudd oedd Morris Griffith, gof Pentre, gerllaw Plas Turbridge, a briododd Jane, chwaer i wraig Siôn Powel.

Llun: Shirley Hart

Foelhedog, Llansannan

---

92 RMRT 15-18.

TEULU BYRCINSHA
(Burchinshaw), Llansannan

Un o'r teuluoedd Eingl-Normanaidd a blannwyd yn Arglwyddiaeth Dinbych yn dilyn y Darostyngiad Edwardaidd yn 1282/4 oedd y Byrcinshaid. Buont yn amlwg iawn yn Llansannan am genedlaethau lawer. Fel y Salbriaid, y Pigotiaid a'r Driasiaid (Dryhurst), datblygasant i fod yn Gymry glân gloyw, rhai yn noddi'r beirdd, eraill yn feirdd eu hunain.

Yr enwocaf o'u plith oedd Wiliam Byrcinsha, y bardd a'r telynor o'r unfed ganrif ar bymtheg, cefnder a chyfaill i Wiliam Midelton (Gwilym Ganoldref).[93] Pan fu farw Edwart Byrcinsha, Waun-fawr, yn 1762, fe roddodd Als ei ferch un o lawysgrifau Siôn Byrcinsha, y bardd â'r llaw dde wywedig, yn rhodd i Siôn Powel.[94] (Ewythr i Edwart Byrcinsha oedd Siôn Byrcinsha, nid brawd fel y dywed Siôn Powel).

Canodd Siôn Powel gywydd mawl i Robert Byrcinsha o'r Foelhedog, Llansannan, nai Edwart: patrwm o'r bonheddwr delfrydol. Nid yw'n gorthrymu:[95]

Ni ddeil yn dynn, ni fyn fo,
Grabaidd elwaidd, gribddeilio,

ac mae ei wraig yn hael wrth y tlawd:

A'i chardod, caiff wych eirda,
I ddyn tlawd o ddefawd dda.

---

93 TCHSDd, 24 (1975), 122; 26 (1977), 77-83.
94 Ba llsgr. 402.
95 Atodiad 32.

Darlun pur wahanol i'r hyn a geir o'r bonheddwyr yn ei araith i Ddafydd Jones o Drefriw: [96]

Mae'r Bonedd hefyd megis tramor estron genedl, yn anghydnabyddus a diystyrllyd o jaith eu hên deidiau, yn Baldorddi Saesoneg, yn codi ar eu tiroedd, yn gwasgu ar eu deiliaid, yn gorthrymu'r Tylodion.

96 Atodiad 42.

IEUAN (IFAN) a ROBERT OWEN, Dyffryn-aur, Llanrwst

Dyma'r tad a'r mab y canodd Siôn Powel gywydd yn gofyn am ddeunydd carfan gŵydd yn rhodd ganddynt. Ychwanega i'w dad dderbyn yr un gymwynas ganddynt yn gynharach.[97]

Gŵr o blwyf Llanfor oedd Ieuan Owen, a daeth i Lanrwst yn dilyn ei briodas â Grâs Jones, merch o'r plwyf, yn 1728. Dyma deulu wrth fodd calon Siôn Powel am ei fod yn glynu wrth y gwerthoedd traddodiadol:

Dau ddyn heirdd, diddan eu hiaith,
A gâr ddwy ryw farddoniaeth:
Cerdd lafar bardd a garant
A chwarau tôn di-chwerw tant.

Nid rhyfedd gweld enw Robert, y mab, ac yntau'n llencyn un ar hugain oed, ymhlith y rhai a danysgrifiodd i *Dewisol Ganiadau yr Oes Hon* yn 1759.

---

97 Atodiad 33.

HARRI WILLIAMS, RHYDYREIRIN

Cymydog agosaf Siôn Powel yn Llansannan fyddai Dafydd Williams, Rhydyreirin, gŵr a gofféid yn y 'DW 1764 Awst' a naddwyd ar yr hen fantell dderw uwchben y lle tân yn ei gartref.[98] Mab ieuengaf Dafydd Williams oedd Harri, llanc yn ei arddegau pan ganodd Siôn Powel gywydd marwnad hynod ddoniol i'w gi:[99] 'Cywydd Marwnad Mab Bwlet, sef Cwb Milgi o Gostowgast Sion ap Robert, neu fel y gelwir ef yn gyffredin Siôn y Mul, yr hwn a yrasai ef yn garedigawl Annerch arfaeth at ei gyd Helyddwas Hary ap William ac yn ebrwydd efe a drengodd'. Gan mai helwyr oedd y ddau efallai y dylid uniaethu Siôn ap Robert neu Siôn y Mul â'r 'John Roberts Milar' a dderbyniodd dâl gan Festri Plwyf Llansannan am ladd dwy gath goed yn 1762.[100]

Nodwedd amlycaf y cwb milgi hwn, pe cawsai fyw, fyddai ffyrnigrwydd ei ymosodiadau ar greaduriaid llai nag ef ei hun:

> Buasai'n lladd mor ddifaddau
> Wencïod, llygod a llau
> . . .
> A malwod corniog, milain,
> A chwrs o wybed a chwain,
> A mywion mewn eigion naint,
> Hyll eu heffaith, a llyffaint.
> Â'r ceiliog, gwiw oediog wedd,
> Y rhedyn o'i anrhydedd.
> Ni welsid pen pryf genwair,
> Pura' gwedd, yn pori gwair
> Na chacwn yn cadw sŵn sydd,
> Na chwilen uwch heolydd.

---

98   HHF 27-8.
99   Atodiad 23.
100 Arch C: CEP 10/2/1; *Bye-gones* (1899) 17.

IFAN BANNWR

Un person y byddai'r gwehydd yn ymwneud ag ef yn rheolaidd fyddai'r pannwr gan mai ef fyddai'n trin y brethyn a'r wlanen yn barod i'r teiliwriaid. Y pandy agosaf i Siôn Powel fyddai pandy Aberdeunant fel y câi ei adnabod bryd hynny, rhyw chwarter milltir tua'r de o Fryn Rhydyrarian.[101] Enw'r pannwr ar y pryd oedd Evan Williams, gŵr priod y bedyddiwyd naw o'i blant rhwng 1742 a 1761 a'r degfed yn 1765. Bedyddiwyd plentyn gordderch iddo ar 23 Hydref 1763 a'i enwi'n Elias Williams. Nid enwir ei fam a bu farw'r un bach ar ben ei flwydd.

Perthynas odinebus y pannwr â'r fam ddienw yw testun cerdd Siôn 'Hanes Pannwr Aberdeunant' sy'n disgrifio'r weithred yn nhermau pannu.[102] Nodir bod y gerdd i'w datgan ar yr alaw 'Llef Caerwynt' sy'n awgrymu y byddai wedi cael ei chanu gan faledwyr er nad oes copi argraffedig ohoni yn hysbys. Tybed sut y cymerodd Ifan Bannwr at gân o'r fath gan un o'i brif gwsmeriaid?

Pob prydydd puredig blethiedig ddoeth awdur,
Cyd luniwch gerdd fedrus ddiboenus i bannwr
Sy'n byw mhlwyf Llansannan, mae llawer a soniant,
A'i yrdd a'i bandynau ar ddŵr Aberdeunant.
Mae iddo glod am fod yn lew, yn benna dim am banu'n dew,
A chwalu blew a chwilio, a chodi ffris a phresio.

---

101   HHF 35 (rhif 3).
102   Atodiad 31.

JOHN HUGHES, MARGARED ei wraig, a RICHARD LEWYS (1727-97)

Yn ei gerdd i ofyn cawell bysgota gan John Hughes ar ran Richard Lewys, mae Siôn Powel yn darlunio gwladwr cyflawn yr oes honno.[103] Yn ogystal â thrin y ddaear, mae John Hughes yn 'crasu a malu' sy'n awgrymu ei fod yn felinydd hefyd. Dywed fod graen ar ei anifeiliaid a'i gnydau, ei fod yn brydydd, yn gerddor (gallai ganu'r feiol a'r ffliwt), yn heliwr a physgotwr ac yn grefftwr cywrain gyda gwiail.

Cyfeirio y mae, yn ddiamau, at John Hughes, y melinydd a briododd Margared Davies drwy drwydded yn Eglwys Llansannan ar 31 Mawrth 1758. Gallai'r John Hughes hwnnw arwyddo ei enw, mantais amlwg i brydydd a melinydd, a Siôn Powel ei hun oedd un o dystion y briodas. Ni chofnodwyd bedyddio yr un plentyn i'r ddau, sy'n cyd-fynd â sylw Siôn Powel eu bod yn 'byw heb aer'.

Os cyfeirio at gartre'r ddau mae 'bonheddig *tanallt*' yn y pedwerydd pennill, gellid awgrymu Tan'rallt, tyddyn cwta filltir tua'r gogledd o Fryn Rhydyrarian. Llai na chwarter milltir o Dan'rallt mae safle hen ffatri Bryn Rhydyrarian lle gynt roedd y Felin Isaf a Thy'nrodyn.[104] Tybed ai yno y byddai John Hughes yn 'crasu a malu'?

Fel Siôn Powel, gŵr o Wytherin oedd Richard Lewys a oedd i dderbyn y gawell bysgota. Fe'i bedyddiwyd yno yn 1727 yn fab i Lewys Daniel, gof a saer maen. Saer maen oedd Richard yntau fel y tystia'r llinell: 'yn gweithio gwaliau muriau maen', a cheir cyfeiriad at y ddau'n codi wal o gwmpas mynwent Eglwys Llansannan yn 1759.[105] Priododd

---

103 Atodiad 41.
104 HHF 31 (rhifau 4 a 5).
105 Arch C: CEP 10/2/1, 163.

Elisabeth Ffowcs yn Llansannan yn 1752 a bedyddiwyd wyth o blant iddynt yno yn ystod y blynyddoedd dilynol. Eisiau cawell pan âi i bysgota yn Llyn Aled yr oedd Richard, yn lle ei ffedog waith a oedd yn llawn calch! Nid oedd ganddo'r modd i dalu amdani ond addawai roi'r gorau i regi a chweryla ac i fynd ar ei liniau i weddio nos a bore; awgrym efallai bod John Hughes i'w gyfrif ymhlith Methodistiaid yr ardal.

ROBERT EDWART Y TEILIWR

Ni cheir pennawd i dri englyn o waith Siôn Powel yn yr unig gopi llawysgrif sydd wedi goroesi.[106] Serch hynny, mae eu cynnwys yn awgrymu i Siôn eu canu i ddychanu Robert Edwart, teiliwr o rywle yng Ngwynedd; llanc a hoffai gwmni'r bonedd ac un y bu rhyw lun o berthynas rhyngddo ag 'Ann Letsam'. Yn ystod y ddeunawfed ganrif roedd y cyfenw 'Ledsham' yn digwydd yn achlysurol yn Sir y Fflint ac fe geid un teulu ar gyrion Rhuthun ym mhlwyf Llanfair Dyffryn Clwyd. Yno, yn 1715, fe aned Ann, yn ferch i Edward a Dorothy Ledsham, Garthgynan, ac yn 1736 fe briododd ag Edward Jones, ffermwr cyfoethog o Gefn-coch yn yr un plwyf. Bu farw'i gŵr yn 1762 a'r flwyddyn ddilynol ailbriododd Ann ag Edward Foulkes o Helygain.

Y dyddiau hynny byddai teilwriaid yn aros yn nhai eu cwsmeriaid am rai wythnosau tra'n darparu dillad newydd ar gyfer y teulu. A ddigwyddai Robert Edwart fod yn aros yng Nghefn-coch yn ystod gweddwdod 'Ann Letsam', a'i fod, lencyn ifanc a hoffai gwmni'r bonedd, wedi cymryd ffansi at y weddw gyfoethog ganol oed?

Dyn a ddaeth o faeth ei fam
En ei lots i Ann Letsam.

Ni welwyd cyfeiriad at yr un Robert Edwart yn deiliwr yn y cyffiniau, ond rhai blynyddoedd yn gynharach roedd yno Edward Jones yn deiliwr yng Nghae-coch, rhyw hanner milltir o Gefn-coch. Tybed a oedd Robert Edwart yn weithiwr neu'n fab i'r teiliwr hwnnw? Dyfalu ar seiliau digon sigledig yw hyn, wrth gwrs, ond roedd gan Siôn Powel

---

106 Atodiad 36.

gysylltiadau yn yr ardal. Filltir i'r gogledd o Gefn-coch roedd Gefail y Pentre, a'r gof, Morris Griffith, yn frawd yng nghyfraith i Siôn Powel. Yn yr un ardal mae Plas Turbridge, cartref Dafydd Gruffudd, un o noddwyr Siôn.[107]

---

107 Gweler 'Cysylltiadau Teuluol Siôn Powel'.

DIRYWIAD NAWDD

Erbyn canol y ddeunawfed ganrif, roedd hen arfer y bonheddwyr o groesawu'r beirdd a'r telynorion i'w plasau ar y gwyliau a thalu am gywyddau mawl a marwnad, wedi llwyr ddarfod mewn llawer ardal. Fel y dywed Ieuan Fardd yn ei gywydd i annerch Siôn Gruffudd a Gefnamwlch yn Llŷn:[108]

> Aeth y beirdd doeth heb urddas,
> Aeth iawn gerdd weithian yn gas,
> A heddiw ni wahoddir
> Lên o daw i Lëyn dir
> . . .
> Eu gwaith ydoedd hyfryd gynt,
> A hwylus fu eu helynt
> . . .
> A moli dewredd milwyr,
> Eu gwlad oll a'i hyglod wŷr.
> Canmol hael, hawdd oedd cael ced,
> I'w neuaddau, a nodded;

sylwadau a gaiff ateg gignoeth yn llythyr Siôn Powel at Ddafydd Jones o Drefriw:[109]

> haws cael gan Gymru ynfyd yr oes hon oganu'r Fruttanjaith, a chablu gwaith ei hên Feirdd . . . na cheisiaw cadw yn ddilwgr jaith eu gwlad – Mae'r Bonedd hefyd me[g]is tramor estron genedl yn anghydnabyddus a diystyrllyd o iaith eu hên deidiau, yn Baldordd Saesonaeg, yn codi ar eu tiroedd, yn gwasgu ar eu deiliaid, yn

---

108 BBGC 122.
109 Atodiad 42.

gorthrymu'r Tylodion, yn Preswyliau y Nghaerludd, yn cadw Putteiniaid, y[n] meddwi ar yn godinebu: au hen Balasdai au Llysoedd gynt yn anghyfanedd yn ogofau Gwilliaid a lladron, yn Gorlanau Geifr a Bychod.

Gor-ddweud efallai? Mae'n wir i rai o'r hen deuluoedd bonheddig gefnu ar y gymdogaeth am amrywiol resymau. Gellid enwi Salbriaid Caerhebnewid, Gwytherin, a Wyniaid Melai, Llanfair Talhaearn. Ond mae'n bur debyg mai Dyffryn Aled, Llansannan, oedd gan Siôn mewn golwg gan fod Pirs Wyn wedi cefnu ar ei hen gartref ac yn byw yn Llanychan, Dyffryn Clwyd. Yn ddiweddarach y darfu i'w ferch, Diana, godi plas newydd ysblennydd gyferbyn â'r un gwreiddiol.[110]

Serch hynny, mae arwyddion bod rhai o'r tai bonedd yn parhau i noddi beirdd yn nyddiau Siôn Powel. Canodd ei gyfaill, Dafydd Siôn Pirs, i deuluoedd Garthewin, Bronheulog a Dolhaearn ym mhlwyf Llanfair, fel y gwnaeth Huw Jones o Langwm a Wiliam Tomas, teiliwr Capel Garmon, i Hafodunos a Bodgynwch ym mhlwyf Llangernyw.[111] Nid dibwys chwaith bod Dafydd Jones o Drefriw wedi cael tanysgrifiadau i'w lyfr *Blodeu-gerdd Cymry* (1759) gan deuluoedd Brynbarcud, Dyffryn Aled, Hafodunos a Dolhaearn.

Yn ôl Jinny Jenks a arhosodd yng Ngarthewin a Hafodunos yn ystod ei thaith drwy Gymru yn 1772, cedwid tŷ agored yn y dull Cymreig traddodiadol yn y ddau le, ac roedd i'r telynorion (telynores ddall yn achos Hafodunos) le blaenllaw.[112] Nid yw'n sôn gair am iaith y ddwy aelwyd, ond

110 PLl 63-4; *Bro Aled – ei Phobl Ddoe a Heddiw*, gol. Berwyn Evans (2014), 61-70.
111 https://maldwyn.llgc.org.uk
112 Peter Howell Williams, 'Social Visitations of the Welsh Gentry of Dinbych, 1772', TCHSDd, 51 (2002), 50-60.

gellir tybied mai Saesneg, iaith mam a gwraig y penteulu, a siaredid yng Ngarthewin, beth bynnag am Hafodunos. Yn rhyfedd iawn, nid diffyg nawdd y tai bonedd i'r beirdd a bwysleisir gan Siôn Powel yn gymaint â'u Seisnigrwydd, eu hanfoesoldeb a'u triniaeth o'u deiliaid a'r tlodion: 'Mae'r Bonedd hefyd me[g]is tramor estron genedl . . . yn Baldordd Saesoneg, yn Codi ar eu tiroedd, yn gwasgu ar eu deiliaid, yn gorthrymu'r Tylodion . . . y[n] meddwi ag yn godinebu . . .'. Nid fod gan Siôn ei hun le i gwyno gan na fu yr un codiad yn rhent Nant Rhydyreirin rhwng 1735 a 1772.[113]

O'r deugain a mwy o gerddi Siôn Powel a oroesodd, nid oes ond llond dwrn y gellid eu galw'n gerddi i noddwyr, a'r rheini, gan amlaf, wedi'u canu i gymdogion agos megis Dafydd Gruffudd a Robert Byrcinsha.

Ai natur ymgilgar Siôn ei hun, lawn cymaint â diffyg nawdd tai bonedd yr ardal, fu'n gyfrifol am hynny? Dyna awgrym rhyw ŵr anhysbys a ysgrifennodd amdano yn ddiweddarach:[114]

diystyrai wahoddiadau'r boneddigion i'w plasau gan ddewis yn hytrach drigiannu gartref yn heddychlon a diseremoni yn ei fwthyn mynyddig.

Efallai nad oedd ganddo y 'pen blaen' a alluogai ei gyfaill Twm o'r Nant i anelu i'r entrychion gan hawlio nawdd Wyniaid Wynstae ac Arglwydd Dinefwr.

Tybed ai enghraifft arall o'i natur ymgilgar yw'r ffaith na chyhoeddwyd dim o'i waith yn ystod ei fywyd, er bod cerddi dau o'i gyfoedion agos, sef Dafydd Siôn Pirs a Thwm o'r Nant, wedi ymddangos yn *Cyfaill i'r Cymro* (1765) a *Dewisol*

---

113   Arch G: XD2/7807-.
114   LlGC llsgr. Cwrtmawr 401, 29.

Ganiadau yr Oes Hon (1759)? Ni fanteisiodd ar yr almanaciau chwaith, nac ar y faled, er bod ei 'Hanes Pannwr Aberdeunant' yn dyst bod ynddo ddeunydd baledwr, crefft a fyddai wedi dod â pheth elw iddo. Pan lofruddiwyd morwyn tafarn yn Llansannan ar 26 Ebrill 1762, mae'n arwyddocaol mai o law Twm o'r Nant, yn hytrach na Siôn, y cafwyd y faled yn adrodd yr hanes a melltithio'r llofrudd anhysbys.[115]

Efallai fod yr ateb i'r cwestiynau hyn ymhlŷg yn sylw, ysgoywaidd efallai, Twm o'r Nant, yn ei Gywydd Hanes Henaint, flynyddoedd yn ddiweddarach:[116]

A Siôn Powel, gwirffel gân,
Wrth iau, athrawiaeth Ieuan,
Gweuai seinber gysonbell
Hoyw iach waith – nid haiach well.

A oedd gan Siôn fwy o ddiddordeb mewn astudio hen lawysgrifau na moli'r bonheddwyr yr oedd mor feirniadol ohonynt?

---

115 BWB 81.
116 *Gwaith Thomas Edwards (Twm o'r Nant)* (Lerpwl, 1874), 389-92.

Y GWEHYDD

Fe ddywedir bod llawer o'r ffermydd mwyaf yn berchen gwŷdd yn y ddeunawfed ganrif ac yn cyflogi gweision a feddai sgiliau gwehydda yn ogystal â ffermio. Ond mae'n bur debyg na fyddai eu cynnyrch yn gwneud llawer mwy na diwallu anghenion y teulu a'r werin o'u cwmpas am frethyn a gwlanen.

A barnu wrth dystiolaeth y cofrestri eglwysig, fe geid ym mhob plwyf nifer o wehyddion yn gweithio o'u cartrefi, boed y rheini'n fythynnod neu'n dyddynnod, ac yn rhoi eu holl amser i wehydda. Y mae'n weddol amlwg mai perthyn i'r dosbarth hwnnw o wehyddion a wnâi Siôn Powel a'i dad o'i flaen.

Dengys ewyllysiau rhai o'r gwehyddion hynny eu bod yn weddol esmwyth eu byd, yn berchen tir ac ambell lyfr Cymraeg. Mae'n rhaid nad oedd rhieni Siôn yn fyr o geiniog neu ddwy gan iddo ef, a Richard ei frawd, briodi gyda thrwydded yn hytrach na'r gostegion arferol.

Er mai'r gwehydd ei hun fyddai'n cynhyrchu'r brethyn, lawn cyn bwysiced fyddai darparu'r edafedd ar ei gyfer; dosrannu'r cnuf, cribo, cardio, cordeddu a nyddu, gorchwylion a gyflenwid gan ei wraig a gweddill y teulu. Dywedir bod angen tri pherson i ddarparu cyflenwad o edafedd i un gwehydd. Felly mi fyddai Siôn yn gyfarwydd â'r gorchwylion hynny o'i blentyndod, gan gynnwys y siwrneiau dwy filltir i bandy Brynbarcud i gael pannu'r rholiau brethyn cyn y byddent yn barod i'w marchnata.

Fe all mai gartref gyda'i dad yng Ngwytherin y treuliodd Siôn ei brentisiaeth, cyfnod o saith mlynedd fel arfer. Ond gan fod ganddo frawd hŷn, ac am na chaniateid ail brentis i wehydd hyd nes bod y cyntaf wedi cwblhau hanner ei brentisiaeth, efallai iddo dreulio cyfnod oddi cartref.

Soniwyd eisoes i Nant Rhydyreirin fod yn gartref i wehydd cyn dyddiau Siôn Powel ac y gallasai fod yno wŷdd segur at ei ddefnydd. Ond efallai fod rheswm arall dros symud yno. Roedd gan Mary, gwraig Siôn, ewythr, Harri Prichard, hanner brawd i'w mam. Yr Harri Prichard hwnnw a dalodd rent Nant Rhydyreirin am 1767, y flwyddyn y bu Siôn farw, er iddo ef ei hun farw yn fuan wedyn.[117] Rhyw genhedlaeth yn gynharach ceir cyfeiriad at un Harri Prichard, gwehydd o Lansannan, a gyhuddid o dadogi plentyn gordderch.[118] Os cywir uniaethu'r naill Harri â'r llall, ai sicrhau cartref i'w nith weddw oedd ei fwriad, neu a oedd ganddo ryw ran yn y gwehydda fel meistr neu bartner i Siôn?

Tyddyn deunaw erw yn perthyn i hen stad Melai, a oedd erbyn hynny wedi'i hetifeddu gan deulu Glynllifon, oedd Nant Rhydyreirin.[119] Mae'r adfail i'w weld yno heddiw, yn un rhimyn hir tua phymtheg llath o hyd: y tŷ a'r tai allan dan yr unto ar ochr chwith y nant o'r un enw. Twll o le mewn gwirionedd, gyda llechwedd serth coediog y tu blaen a'r tu ôl iddo. Nid rhyfedd i Siôn achwyn am y mwg yn taro ar ei aelwyd yn un o'i englynion.[120]

Gan nad oedd Nant Rhydyreirin ymhlith y nifer fawr o'r tai ar hen stad Melai a ailadeiladwyd tua 1826, mae'n ddigon tebyg mai dyma'r union dŷ a fu'n gartref i Siôn Powel a'i deulu.[121] Ychydig dros ganrif yn ôl, a'r lle'n prysur ddadfeilio, cyfeirir ato fel tŷ to gwellt gyda dwy ystafell fyw ond heb fanylu am y tai allan. Gan nad oedd yno ond dwy ystafell fyw, mae'n debyg y byddai gweithdy'r gwehydd (tŷ'r gwŷdd neu'r ffram fel y'i gelwid) dan yr unto yn un o'r tai allan.[122]

---

117 Arch G: XD2/4280.
118 Arch C: QSD/50/1/1, 154.
119 Arch G: XD2/8356.
120 Atodiad 10.
121 Arch G: XD2/8369.
122 HHF 27-30; Cyfrifiad 1891-1901.

Teg fydd nodi yma i Robert Wynne Jones yn *Hanes Hen Furddynod Plwyf Llansannan* ddweud mai Rhydyreirin Isaf, gyferbyn â Nant Rhydyreirin, ac felly yn nhreddegwm Hendrenenig, oedd cartref Siôn Powel. Mae'n wir y ceid yno fwy o olau dydd, rhywbeth o'r pwys mwyaf i wehydd. Ond ni lwyddwyd i ddod o hyd i'r un cyfeiriad arall at fodolaeth y tŷ hwnnw, ac yng nghofrestr yr eglwys cyfeirir at Siôn fel gŵr o dreddegwm Treflech, lle saif Nant Rhydyreirin.

Y mae'n amlwg fod Siôn Powel yn ymfalchïo yn ei statws fel gwehydd. Bron yn ddieithriad bydd yn cyfeirio ato'i hunan fel Siôn Powel Wehydd neu Weydd. Yn ei gywydd i annerch Ieuan Fardd, geilw ei hun yn 'wehydd di-wahardd' neu benderfynol,[123] awgrym efallai fod ei gynnyrch wedi'i anelu at farchnad uwch na'r anghenion lleol. Mae termau gwehydda'n britho'i gerddi, megis:

Dylifwn gwewn gywydd,
Wiw rywiog *we*, ar y *gwŷdd*.

O'r llawysgrifau a fu yn ei feddiant, ac sydd wedi goroesi, nid oes gymaint ag un nodyn ymyl dalen yn un ohonynt sy'n cyfeirio'n uniongyrchol at ei grefft - nodyn i ddweud lle byddai'n marchnata ei gynnyrch neu fanylion y patrymau a ddefnyddiai; dim byd tebyg i'r gyfrol o batrymau o eiddo'i gyfoeswr o wehydd, William Jones o'r Holt yn Sir y Fflint.[124]

A yw ei adnabyddiaeth o John Roberts, y clociwr o Wrecsam, yn awgrymu ei fod yn mynychu'r farchnad frethyn a gynhelid yn y dref honno; y farchnad agosaf i wehyddion cyffiniau Dyffryn Clwyd yn ôl pob sôn?[125] Y 'Shrewsbury Drapers Company' oedd â'r afael drechaf ar y farchnad yng

---

123 Atodiad 25.
124 WWI 228.
125 ibid. 219.

Ngogledd Cymru bryd hynny, a ceir disgrifiad diddorol o'r Cymry'n cyrraedd yno'n llwythog bod dydd Iau:[126]

> Troops of hardy ponies, each with a halter of twisted straw and laden with two bales of cloth, pour into the market place in the morning, driven by stout Welshmen in their country coats of blue cloth and striped tinsey waistcoats.

O ystyried y pellter, prin y byddai Siôn Powel wedi mentro mor bell. Yn rhyfedd iawn, roedd nifer o Boweliaid ymhlith gwehyddion Amwythig y dyddiau hynny.[127]

Tybed ai yn ystod taith i ryw farchnad y cafodd y gwely chweinllyd, testun un o'i gywyddau:[128]

> Neithiwr yn eitha'r annedd,
> Natur wyllt, nid da'r wedd,
> Gan fyddin grasgrin groesgrwydr,
> Cas arw fryd, cefais hir frwydr
> . . .
> A'r lle yr oedd eu lluarth
> Rhwng dwy dewfras gynfas garth
> . . .
> Ymleddais, aml oeddynt,
> A rhyw lain o rhain ar hynt
> . . .
> Mwy difiog a dihanfeirch
> Na mil o gacwn y meirch.

---

126 D.J. Evans, 'History of the Shrewsbury Drapers Company' (Traethawd M.A. Cymru, 1950).

127 Shropshire Archives, Amwythig: Fiche 6001/3359-61, 'Guild Records: Company of Weavers & Clothiers ... 1565-1763'.

128 Atodiad 24.

Byddai'n dda cael gwybod hefyd beth yn union oedd ei gysylltiad â Thomas Williams, y Merchant Taylor o Lanllechid, a Robert Edwart, y teiliwr o Ddyffryn Clwyd. A oedd ganddo gwsmeriaid ar hyd a lled y Gogledd?

Hanesyn am Siôn Powel sydd wedi'i ailadrodd hyd syrffed, fel enghraifft o'i ddiogi honedig, yw ei ddull o olchi ei grys. Byddai'n clymu'r llewys wrth ei figyrnau ac yn cerdded i fyny'r nant ger ei gartref cyn ei daflu ar y gwrych i sychu. Talhaiarn oedd y cyntaf i adrodd yr hanes ac mae'n sicr y byddai wedi adnabod hynafgwyr oedd â chof plentyn am Siôn Powel.[129] Mae'n weddol sicr mai camddehongliad o un o brosesau pannu sydd wrth wraidd yr hanesyn. Byddid yn gosod y darn brethyn neu wlanen ar wely afon neu ffrwd fas a'i weithio â'r traed i gael gwared o'r sebon ohono. Dyna mae'n debyg pam y cyfeirir at bandai yng Nghymru fel 'walking mills' mewn hen ddogfennau.

129 GT i. 21.

AMGYLCHIADAU EI FARWOLAETH

Fel y crybwyllwyd eisoes, bu farw Siôn Powel ddechrau Mai 1767 ac yntau ond rhyw un ar ddeg ar hugain mlwydd oed. Mae'n annhebyg iddo farw mewn damwain gan na cheir cofnod o gwest ar ei gorff. Nid oes ychwaith arwyddion bod haint yn Llansannan y gwanwyn hwnnw. Sylwer, er hynny, bod ei frawd hŷn, Richard Powel o Wytherin, wedi marw'n ugain oed, awgrym y gallasai fod rhyw wendid genynnol yn ei deulu. Yn wir, mae'n bosib i Siôn ddioddef pwl o salwch flwyddyn neu ddwy'n gynharach.

Mewn un llawysgrif, dyddiwyd englyn Siôn i 'Dwll y Mwg' i'r flwyddyn 1765.[130] Yn gysylltiedig â chopi arall o'r un englyn, datgelir yr achlysur yng ngeiriau Siôn ei hun: 'a wnaed pan oedd y mwg bron a'm mygu yn fy ngwely, – oedd wrth y tân'.[131] Os yw'r rhain yn eiriau dilys Siôn, a oes ynddynt awgrym ei fod yn sâl ar y pryd a'i wely wedi'i symud yn agos i'r tân, gan mai ym mhen pellaf bythynnod unllawr y gosodid y gwlâu fel arfer.

Erbyn ail hanner y ddeunawfed ganrif roedd ambell glwb neu gymdeithas gyfeillgar wedi'i sefydlu yng Ngogledd Cymru, lle gallai'r aelodau, llawer ohonynt yn grefftwyr, trwy gyfrannu mân daliadau rheolaidd, gael rhywbeth tuag at eu cynhaliaeth yn ystod cyfnod o afiechyd. Ac yntau'n wehydd, mae'n bur debyg y byddai Siôn Powel yn aelod o Glwb Llansannan. Tybed felly nad o brofiad personol yr anfonodd englyn at swyddogion y Clwb yn achwyn eu bod 'yn lleihau Dogn yr aelodau cleifion'?[132]

Wrth ystyried amgylchiadau ei farw, fe dâl sylwi ar ei feddyliau fel y cânt eu mynegi yn ei gerddi yn ystod ei

---

130 Atodiad 10.
131 *Cymru*, 25 (1903), 120.
132 Atodiad 38.

flwyddyn neu ddwy olaf. Soniwyd eisoes am y posibilrwydd ei fod yn gymeriad ymgilgar a'i fod, efallai, yn tueddu i gydymdeimlo â'r Methodistiaid a oedd yn gryf iawn yn y gymdogaeth.

Un o atyniadau beirdd a thelynorion y ddeunawfed ganrif oedd yr Eisteddfodau Almanac a gynhelid mewn tafarnau ledled y wlad, lle ceid ymrysonfeydd cyfansoddi ar y pryd. Ni cheir cofnod am un o'r eisteddfodau hynny yn Llansannan hyd 1769, ddwy flynedd wedi marw Siôn, ond mae'n bur debyg fod yno rai cynharach gan fod Wiliam Llwyd, perchennog y dafarn lle y cynhaliwyd y digwyddiad, yn ŵr diwylliedig yn ei oed a'i amser, a danysgrifiodd i *Blodeu-gerdd Cymry* yn 1759.

Fe gaed eisteddfod arall yn y Bala yn 1760, a llawer o rai eraill na chadwyd cofnod ohonynt, mae'n siŵr. Os oes coel ar dystiolaeth Talhaiarn, roedd tafarn yr *Harp*, cartref Dafydd Siôn Pirs yn Llanfair, yn gyrchfan bwysig i feirdd a thelynorion y dyddiau hynny.[133]

Yn ei 'Odlig Alarus: awdl o gwynfan dyn dan deimlad o wendid'[134] sydd wedi'i ddyddio 1765, mynega Siôn ryw argyfwng ysbrydol yn ogystal â llesgedd corfforol. Collodd ei flas at farddoniaeth a seiniau'r *Delyn*, ac yn y diweddglo mae'n addunedu i droi ei gefn ar gwmnïaeth y dafarn:

Rhoddaf fy nghred a'm haddunedau
Yt Grist feddyg, ti geraist faddau,
Nid af mwy o nwyf anafau hyd fedd,
Afrosgo duedd, i frwysg deiau.

Go brin y ceir gwybod beth yn union oedd wrth wraidd digalondid Siôn Powel yn ystod ei flwyddyn neu ddwy olaf.

133 GT i. 16-.
134 Atodiad 14.

Ai afiechyd? Neu ryw argyfwng ysbrydol efallai; ond ni ellir osgoi sylw o eiddo Robert Thomas y clochydd. Yn un o'i ddau englyn i gyfarch 'cyfaill' o'r enw 'Siôn' sydd hefyd yn brydydd, dywed y clochydd: [135]

> Collaist a feddaist o foddion – cefnog,
>   Cei ofni rhai dynion;
> Rhag eger a rhy geigion
> Tyn i le siŵr tan law, Siôn.

Nid oes sicrwydd mai at Siôn Powel y cyfeirir, wrth reswm, ond ni ellir anwybyddu'r posibilrwydd ychwaith. Gellid tybied nad oedd Siôn yn hanu o deulu tlawd, felly a fu iddo ddioddef colledion trwy fynd yn feichiau dros rywun fel y gwnaeth Twm o'r Nant? Neu a gafodd ei dwyllo gan ryw fasnachwr brethyn? Roedd helyntion tebyg yn gyffredin yn nyddiau Siôn Powel, fel ym mhob oes.

Daeth ysgytwad pellach i'w ran ym mis Hydref 1766 pan ymadawodd Ieuan Fardd â'r ardal, a hynny'n bur swta a dirybudd yn ôl Talhaiarn (er iddo gael yr union ddyddiad yn anghywir).[136] Does dim dwywaith na theimlodd Siôn y golled i'r byw. Ar y trydydd ar ddeg o'r un mis anfonodd gywydd at Ddafydd Jones o Drefriw yn datgan yn faith ei ofid o golli ei 'barchedig Athraw a diddan Gydymaith' ac yn gofyn am gopi o'i lyfr newydd, *Cydymaith Diddan*, fel math o wobr gysur.[137] Yn ei lythyr cysylltiedig, wedi iddo fwrw'i lach ar anfoesoldeb y bonheddwyr a'r personiaid a'u diffyg parch at y beirdd, mae Siôn yn dweud fel hyn:

> gan hynny gwell i ni beidiaw ymarfer dim ychwaneg ar Farddoniaeth a throi'n ffidleriaid i ganu Brynhawniau

135 C llsgr. 2.14, 546.
136 GT i. 13.
137 Atodiad 40.

Suliau hyd y Tafarndai. Falle wrth hyn yr enillwn barch ac anrhydedd gan ambell goegen rygyngog fursenaidd a garo ddawns a chan ambell Herlod coegfalch penchwiban lledfeddw a gano ddyri greginllyd o anghelfydd gymysgriw efo tant.

Yr hyn a wnaeth Siôn yn fuan wedyn oedd cyfaddawdu, troi at y mesurau rhyddion a llunio dwy garol blygain i'w canu ar alawon Seisnig poblogaidd 'Let Mary Live Long' a 'King's Farewell'.[138] Yn y gyntaf fe fydryddodd y flwyddyn, 1766:

Dau wythgant yn ffri, dau dri, cyfri cyfan,
A dau bedwar ugain
. . .
Gwâr ydyw, gwir oed
Cnawdoliaeth mab Mair.

Tua'r un adeg canodd 'I drefn bresennol y byd', naw englyn wedi'u dyddio 21 Rhagfyr 1766.[139] Eu byrdwn yw mai'r bedd yw tynged dynion o bob gradd:

Y cryf a'r cadarn a'r croes – a'r dinerth
          A'r dynion glân einioes
    Ânt i'r bedd, diryfedd – loes,
    Neuadd wael, yn niweddoes,

a'r Farn fydd yn aros y rhai fu'n gorthrymu'r tlawd:

Gwae'r bonedd heb wedd lle bôn' bla angall
          Yn blingo rhai tlodion
    Gan yfed, swydd galed sôn,
    Eu chwys yn ddiachosion.

---

138 Atodiad 20 a 13.
139 Atodiad 21.

Ei gyfansoddiad olaf y gellir ei ddyddio, sef 20 Mawrth 1767, yw'r gân rydd 'Cerdd Ymherthynas ein Cariad at Dduw' i'w chanu ar yr alaw 'Boreddydd Llun'.[140] Tynged dyn yn wynebu marwolaeth yw'r thema unwaith eto:

> Ni eill y putainiwr neu ddiles gribddeiliwr,
> Enllibwr, masweddwr, rhagrithiwr rhy groes,
> Cybyddion na meddwon, llofruddion na lladron,
> Swynyddion na beilchion anhirion i'w hoes
> Garu o bur galon Oen graslon y Groes.

Dim ond cariad Crist all achub dyn rhag 'eiras y fflam':

> O ceisiwch, dewiswch, clodforwch, gwirgerwch,
> Cofleidiwch, cusenwch a deliwch fab Duw.
> Er gwaetha'r cnawd aflan holl uffern a fethan,
> Fe elliff ddal allan ar ran dynolryw,
> An dwyn ato ei hunan i'r fan ore i fyw.

Saith wythnos yn ddiweddarach, roedd Siôn Powel yn ei fedd. Canodd Ieuan Fardd gywydd marwnad iddo[141] ac anfonodd gopi at Richard Morris ar 9 Medi. 'Bardd a Christion da' oedd Siôn yng ngolwg Ieuan. Yn ôl Robert Thomas, y clochydd, canwyd un arall gan Ddafydd Siôn Pirs, ond mae'n debyg nad oes copi ohoni ar gael bellach.[142] Y syndod mwyaf yw na chanodd Twm o'r Nant farwnad i'w hen gyfaill. Byddai yn ei ugeiniau ar y pryd ac yn abl iawn i fod wedi gwneud hynny. Gellid dadlau iddi fynd ar goll fel un Dafydd Siôn Pirs, ond mae hynny'n annhebyg gan fod Twm wedi cyhoeddi casgliad o'i waith yn 1790.

---

140 Atodiad 29.
141 ALMA ii. 719-21.
142 ibid. 736.

EI FAB

Mae'n annhebyg i'r un o blant Siôn Powel aros yn y gymdogaeth, ond bydd yn werth sylwi ar yr unig fab y gwyddys rhyw gymaint o'i hanes.

Yn gysylltiedig â marwnad Ieuan Fardd i Siôn Powel a gyhoeddwyd yn rhifyn Rhagfyr 1834 (t.381) o *Cylchgrawn y Gymdeithas er Taenu Gwybodaeth Fuddiol* ceir y nodyn a ganlyn:

> Cawsom gan ei fab, sydd yn byw yn Nhreffynnon, yr englyn canlynol i'r sêr, ac a ystyriwn yn orchest.

Golygydd y *Cylchgrawn* oedd John Blackwell (Alun), gŵr wedi'i fagu yn yr Wyddgrug ac a fu'n gurad yn Nhreffynnon o 1829 hyd 1833. Gan ei fod, yn ôl pob sôn, yn hoff o gwmni beirdd gwlad ac yn fugail cydwybodol i'w blwyfolion, mae'n ddiamau y byddai wedi adnabod mab Siôn Powel. Er nad yw'n rhoi enw iddo, gellir mentro ei uniaethu â'r John Powel o Dreffynnon a gladdwyd yn eglwys y plwyf 12 Chwefror 1834 yn 71 mlwydd oed, ac a fyddai'n cyfateb i John, ail fab Siôn Powel, a fedyddiwyd yn Llansannan 11 Mehefin 1762. Gan fod John Blackwell wedi ymadael â Threffynnon yn 1833, go brin y byddai'n ymwybodol o farwolaeth John Powel.

Bernir bod safon gwehyddiaeth Sir y Fflint yn uwch na'r siroedd cyffiniol yn ystod y ddeunawfed ganrif.[143] A dwyn i gof falchder Siôn Powel yn ei grefft, teg fydd ystyried ai yn Sir y Fflint roedd gwreiddiau Poweliaid Gwytherin, ac i John, y mab, gael ei fagu yno gan deulu ei dad.

Am resymau a ddaw'n amlycach yn y man, mae lle i gredu iddo fyw yn Helygain yn gynharach, ac mai ef yw'r John

---

143 WWI 227-.

Powel o'r plwyf hwnnw a briododd Mary, ail ferch Thomas Jones o'r Wyddgrug, yn 1782, a chartrefu yng Ngwernaffild. Yn ystod y pymtheg mlynedd dilynol bedyddiwyd saith o blant iddynt yn cynnwys merch, Mary (Rhagfyr 1785) a mab, John (Chwefror 1788).

Mae'n demtasiwn awgrymu mai ef yw'r 'Mr John Powell, Mold' ymhlith tanysgrifwyr *Gardd o Gerddi*, cyfrol o waith Twm o'r Nant a gyhoeddwyd yn 1790. Ond prin y byddai llafurwr neu fwynwr, fel y caiff John Powel ei adnabod yng nghofrestr Eglwys yr Wyddgrug, yn cael ei alw'n 'Mr' yn yr oes honno.

Ni cheir yr un cofnod perthnasol i'r teulu ar ôl 1797, sy'n awgrymu iddynt ymadael â'r fro. Ond ym mynwent Eglwys Saint Iago, Treffynnon, lle gwyddys i John Powel fyw yn ddiweddarach, mae carreg fedd i fab a merch yn eu harddegau â'u hoedran yn cyfateb yn union i eiddo Mary a John, plant John Powel, Gwernaffild:

Ymma y Claddwyd
Mary Powel
Mai 1802 yn 17
John [Powel]
Ebrill 16 [1803] yn 16 oed
Wele Angau troeau trangc
Ar gyfer hen ac ifanc[144]

O ystyried bod John Powel wedi trysori peth o waith ei dad, tybed a oedd yntau'n brydydd ac mai ef yw awdur y cwpled cywydd ar garreg fedd ei ddau blentyn?

Byddai'n rhesymol credu mai i Dreffynnon y symudodd

---

144 Mae'r ddau fanylyn o fewn y bachau petryal wedi'u hychwanegu o gofrestr Eglwys Sant Iago, Treffynnon.

y teulu o Wernaffild, er nad oes cofnod iddynt fedyddio rhagor o blant yno. Serch hynny, ni ellir osgoi nodi i ddau blentyn i John Powel, gwehydd, a Mary Jones ei wraig, o Dre-llan, Llanarmon-yn-Iâl, gael eu bedyddio yn eglwys y plwyf hwnnw: Hannah (9 Gorffennaf 1807) a John (12 Ionawr 1809). Ac yntau'n fab ac yn ŵyr i wehyddion ac yn tynnu at ei hanner cant oed, tybed a fu i John Powel ailgydio yng nghrefft y teulu?

GWERTHFAWROGIAD O WAITH SIÔN POWEL

gan Eurgain Fflur Hughes

Pa le bynnag y bu Siôn Powel yn prydyddu, boed yng nghanol miri'r dafarn neu yn ei gartref, fe lwyddodd i gynhyrchu crynswth o gerddi. Fel llawer o feirdd y cyfnod, cyfansoddodd gerddi rhydd a chaeth fel ei gilydd ac yma yn y detholiad cawn adlewyrchiad teg o'i waith. Yn nodweddiadol o farddoniaeth y cyfnod ceir ganddo gyfeiriadau mynych iawn at aelodau ei gymdeithas leol. Mae ei gerdd at Evan Evans, sef Ieuan Fardd, a fu yn gurad Llanfair Talhaearn o Fehefin 1761 tan Fedi 1766 yn dangos ei gysylltiadau ag aelodau ei gymdeithas ond hefyd yn dangos mai tlawd ei fyd oedd Siôn Powel.[145] Fe wna ddefnydd o'i ddawn brydyddol i erfyn ar eraill mwy ffodus nag ef ei hun am roddion, ac yn yr achos yma gofynna am 'lodr' sef trowsus. Wrth ofyn am ei rodd mae'n sicrhau ei fod yn clodfori Ieuan Fardd:

> Offeiriad Duw â phryd teg.
> Llên ŵr ych llawn o ras.

Yn y cywydd gofyn hwn mae'r darlun tlotaidd a rydd y bardd o'i hun heb drowsus yn un graffig ond doniol:

> Gwael hyd y byd gweled bardd,
> Yn perchen pen diben doeth,
> Danodd yn mynd yn dinoeth,
> A'i ddwy ffolen, ddu ffwlach,
> Drwg arw wedd yn dwr o grach;
> Ac arfau'r wraig, oer fawr wŷth,
> Danodir, yn dwyn adwyth.

---

145 Atodiad 15.

Gwyddom lawer mwy am gyfeillion y bardd nag am ei deulu, a chan fod Rhydyreirin ar y ffordd rhwng Llansannan a Llanfair Talhaearn, nid rhyfedd o beth yw deall bod Siôn Powel wedi treulio llawer o'i amser yn Llanfair. Daeth y prydydd gwlad o grefftwr felly i gysylltiad ag un o wŷr mawr llengar yr oes, ac yn ôl ei dystiolaeth ef ei hun, bu'r ysgolhaig yn gryn ddylanwad arno. Mae cywydd Siôn Powel i Ddafydd Jones o Drefriw yn dangos cymaint y mae'r bardd yn sylweddoli yw'r golled ar ôl i Ieuan adael Llanfair a throi tua'r de:[146]

Gwae fi'n awr, gaeaf a nos,
Oer och a gaf o'r achos;
Digymorth, digynhorthwy,
O Dduw Dad, amddifad wy';
Disgybl dilathr heb athraw,
Ys wyf yn dwyn brwyn a braw.

Gwyddom felly rywfaint am yr addysg a gafodd Siôn Powel. Mynega yn y gerdd i Ddafydd Jones fod yntau hefyd wedi bod yn athro arno:

Buost reol ysgolddysg,
A threfn iawn, athro, fy nysg.

Roedd Siôn Powel felly yn gyfaill i ddau o wŷr amlwg byd llenyddiaeth Gymraeg y ddeunawfed ganrif, ond roedd hefyd yn rhan o'r cylch bychan o feirdd lleol a gyfarfyddai yn nhafarn yr *Harp* yn Llanfair Talhaearn.

Cywydd gofyn arall sydd gan Siôn Powel yw i Ieuan Owen i erfyn am garfan gwehydd.[147] Nid oes llawer o

---

146 Atodiad 40.
147 Atodiad 33.

wybodaeth wedi dod i'r amlwg am Ieuan Owen ond gwyddwn fod Dyffryn-aur yn fferm ar y ffordd i Lanrwst o gyfeiriad Llansannan, sef pentref o'r enw Tafarnyfedw. Mae'n debyg ei fod yn adnabod y ffermwr yn bur dda ac mae'n debyg ei fod yn bur gefnog hefyd, ond mae'r ffaith ei fod yn gofyn am 'garfan gwehydd', sef math o silindr pren ar y gwŷdd y rhoddir yr ystof amdano, yn dangos fod aelodau tlawd y gymdeithas yn dibynnu ar haelioni eraill er mwyn gallu cynnal bywyd gwerinol cyffredin. Roedd bod yn berchen ar lawer o dir hefyd yn bwysig mae'n amlwg a dyw hynny yn ddim ond adlewyrchiad teg o gymeriad y bonheddwr ei hunan:

Cadarn yw pob darn o'i dŷ,
Yn deilwng ef a'i dyly.
Tir iawn glwys, tirion a glân,
Yw nefol ddyffryn Ifan.

Yn ei gywydd mawl i Mr Robert Burchinshaw o'r Foelhedog, cymer y cyfle i glodfori un o deulu o ddosbarth uchel o ffermwyr yn ardal Llansannan, gan danlinellu pwysigrwydd achau'r teulu:[148]

Cân i Robert, cain rebydd,
Burchinsha, bura dyn sydd;
Rhy'ir i mi rhoi ar y mawl,
Ei achau, graddau gwreiddiawl;
Mae'n waedol o ffrydiol ffrwyth,
Tes eglur tywysoglwyth.

Wrth ddarllen cerddi Siôn Powel gwelwn ôl dylanwad Ieuan

---

148 Atodiad 32.

Fardd arno. Thema fawr ganddo yw pwysleisio y dylid hyrwyddo'r Gymraeg drwy fawrygu rhwysg ei gorffennol. Rhydd bwyslais ar gadw ar gof gwlad y rhai a gadwodd y traddodiad barddol trwy ganu moliant i'r bonedd yn eu tai. Dywedodd yn ei gywydd i Robert Burchinshaw:

Mi nid allaf â'm tafod,
Adrodd rhif, aneirif nod,
Y prydyddwyr, pryd addwyn,
A wauodd fawl wiwdda fwyn
I fonedd glân a weddynt,
Goffâd am eu galwad gynt.

Yn ogystal ag ysgrifennu cywyddau mawl, ysgrifennodd Siôn Powel gywyddau marwnad hefyd a gwelwn un yma i Siôn ap Rhisiart o Fryniog.[149] Gelwid ef yn aml gan ei gyfoedion yn John Richards ac felly hefyd y daethpwyd i'w adnabod oherwydd ei gysylltiadau â Methodistiaeth yn ardal Llansannan a Hiraethog. Gwnaeth y gŵr hwn lawer at blannu hedyn Methodistiaeth yn yr ardal gan mai ef oedd un o gynghorwyr cyntaf a hynotaf y wlad, a dyma felly pam y gelwir ef gan Siôn Powel yn 'gristion da'. Teimlodd Siôn Powel bod y gaeaf mawr caled hefyd wedi dyfod ar achlysur trist marwolaeth Siôn ap Rhisiart:

Deryw y lloer, nid araul,
Dull y rhod, dywyllu'r haul;
Dydd Ebrill, duodd wybren,
Yn llwyr, gorchuddiwyd â llen;
Dydd mwgwd, duodd megis,
Dychryn mawr, dechrau un mis.

---

149 Atodiad 9.

Defnyddiodd y bardd gymeriad llythrennol yma i ychwanegu at yr ymdeimlad o drymder a difrifoldeb a defnyddiodd beirdd eraill adnabyddus y cyfnod er enghraifft Huw Morys y dull yma hefyd, a hefyd feirdd enwog fel Dafydd ap Gwilym ymhell cyn hyn. Mae'r syniad o fyd natur yn ymateb i ddigwyddiadau'r byd i'w weld yng nghanu marwnad y Cywyddwyr a cheir enghraifft o'r un peth ym marwnad Gruffudd ab yr Ynad Coch.

Cyfansoddodd Siôn Powel barodi o gywydd marwnad hefyd, yn galaru ar ôl milgi.[150] Mewn gwrthgyferbyniad llwyr i'r harddwch a glodforir yng nghanu ffurfiol y beirdd, dyma ddisgrifiad y bardd o'i gi:

Cyw milgi, cam ei waelgefn,
Coliog oedd, beth cul ei gefn;
Lliw glo oedd, lleuog ei len,
Cwb i Fwlet, côb felen;
Tebyg i dwrch, llamffwrch lled,
Daear, ond nid cyn dewed;
Pen dreng llygoden Ffrengig,
A baw o amgylch ei big.

Gwerth mawr barddoniaeth beirdd gwlad y ddeunawfed ganrif yw ei bod yn ddrych o fywyd yr oes, a dyma a geir yma sef talp o fywyd cyffredin unrhyw werinwr. Tebyg hefyd yw'r cywair yn y cywydd i'r chwain ond gwelwn fod isthema yma.[151] Ofn Siôn Powel oedd gweld ailsefydlu Pabyddiaeth yn grefydd gwladol ac roedd y bygythiad hwnnw yn fwy real oherwydd arweiniad Louis XV o'r Ffrainc Babyddol. Yn ei wely y mae Siôn Powel yn y cywydd hwn ac wrth ymladd yno

---

150 Atodiad 23.
151 Atodiad 24.

â chwain, mae'n dychmygu mai ymladd â'r Ffrancwyr Pabyddol y mae:

Gan fyddin grasgrin, groesgrwydr
Cas arw fryd, cefais hir frwydr.

Rhoddodd Siôn Powel gryn egni i ysgrifennu cywyddau a chofiwn mai cyfnod digon anodd ydoedd i feirdd y canu caeth gan fod clera bellach ar ben. Diflannodd cyfundrefn addysg y beirdd, diolchwn felly am ysgolheigion fel Ieuan Fardd a anogodd feirdd bach gwlad fel Siôn Powel.

Ysgrifennodd Siôn Powel gerddi eraill i fyd natur hefyd fel yr englynion a hir-a-thoddaid i'r ceiliog lle mae'r bardd yn amlwg wedi ei gyfareddu gan sŵn y ceiliog.[152] Cyfres hyfryd o englynion yw'r rhai a wnaed i'r gwyddau gwylltion, lle gwêl y bardd gyfle i roi 'addysg y gwael wyddau gwylltion' i'r 'cyfoethogion' er mwyn iddynt roi cymorth 'i dylodion'.[153] A'r wers honno yw dysgu cydweithio mewn cymdeithas:

Dinag rhont â'u hadenydd – gynhorthwy
Gyfnerthol i'w gilydd:
Y [g]adarnaf sythaf sydd
I'r wannaf yn arweinydd.

Gellir dweud bod englynion Siôn Powel i'r gwyddau gwylltion yn sôn nid yn unig am fyd natur ond hefyd am ddynoliaeth.

---

152 Atodiad 4.
153 Atodiad 35.

Gwahanol iawn i grefft y cywyddau oedd crefft y carolau plygain. Doedd y carolau plygain ddim yn brin yn y ddeunawfed ganrif, ac roedd gwerth cymdeithasol mawr iddynt gan nad oedd llawer o'r werin bobl yn gallu darllen. Yn ei garolau, mae Siôn Powel yn rhoi gwybodaeth Feiblaidd ond mae hefyd yn gwneud i'w gynulleidfa deimlo fel pe baen nhw yn ail-fyw'r digwyddiadau yn y Beibl. Mae'n taflu'r gynulleidfa yn syth i hanes achlysur genedigaeth Crist yn ei garolau plygain:

> Dowch heddiw drwy ffydd, ar ddydd genedigaeth,
> Ei deilwng gnawdoliaeth, i Fethlem heb gudd,
>   Lle y gallwn ni gael
> Golygiad gwiw les a'i gynnes deg wyneb,
> A ddaeth o'i ddisgleirdeb heb wely na gwres
>   I gôr asyn gwael.[154]

Camp Siôn Powel yn ei garolau yw ei fod yn cyfuno hanesion o'r Beibl gyda gwers i bob oes:

> Yn awr edrychwn oddi ar Nebo,
> Ar Ganaan annwyl, ac awn yno.
> Fe aeth yr Arch i fyny'n llawen,
> O diroedd anial drwy'r Iorddonen:
> O daliwn ninnau olwg arni,
> Ni ddigwydd niwaid enaid inni.[155]

Ceir llawer o gynghori, annog a phregethu yn y carolau plygain a'r cerddi crefyddol. Eithaf syml yw eu harddull, ond mae hynny yn bwrpasol gan eu bod wedi eu hanelu at y werin bobl.

---

154 Atodiad 20.
155 Atodiad 13.

Gwedd arall ar ganu cymdeithasol Siôn Powel yw ei ganu gofyn. Yn wahanol i'w gywyddau gofyn, mae'r bardd yn ei gerdd rydd yn gofyn dros aelod arall o'r gymdeithas sef Richard Lewis, un a'i fywoliaeth yn dibynnu ar ddal pysgod o Lyn Aled.[156] Fodd bynnag pysgotwr aflwyddiannus oedd Richard Lewis a dim ond ffedog sydd ganddo i ddal ei bysgod ac nid oes neb bellach am brynu ei bysgod oherwydd fod ei ffedog yn llawn calch ar ôl iddo fod yn ei gwisgo wrth adeiladu waliau:

Yn gweithio gwaliau, muriau maen, mae honno'n llawn calch,
    Brithylliaid yn galchedig,
Ni phryn un gŵr bonheddig, anniddig iawn walch,
Mae moethus fon'ddigion anfwynion yn falch.

Dengys y rhan yma o'r gerdd fel yr oedd crefftwyr gwlad yn gweithio'n galed am eu bywoliaeth ac fel y dibynnai'r bonedd arnynt hwythau. Pwysleisia Siôn Powel dlodi Richard Lewis yn ei gerdd:

Ni feddir gan Risiart, mae'n resyn y chwant,
I dalu am y cawell ond cywion o blant.

Mae'r arddull yn symlach yn y gerdd hon hefyd. Bellach nid moli bonheddwr neu ysgolhaig a wneir, ond crefftwr cyffredin. Sonnir yn y gerdd hon am ddefodau pob dydd John Hughes (Sion ap Huw) ac mae'n amlwg ei fod yn hoff o chwarae'r 'feiol' a'r 'ffliwt', ffermio ar ei dir gan gadw 'ceffylau, gwartheg, defaid', ac yn ôl yn ei 'dŷ annedd' gadw llawer o gelfi wedi eu gwneud â'i law 'mewn hyfryd bleth eiliedig, o ddellt a gwiail helig'. Darlun hyfryd o fywyd crefftwr gwlad a geir yma.

---

156 Atodiad 41.

Mawredd barddoniaeth y ddeunawfed ganrif yw ei bod yn adlewyrchu bywyd bob dydd y werin. Ym marddoniaeth Siôn Powel, cyfarfyddir â chwaeth y gymdeithas. Cynhyrchodd doreth o gerddi, o wahanol fath a ffurf. Mewn cyfnod pan ddarfu y gyfundrefn nawdd a phan nad oedd ysgolion ar gael i hyfforddi'r beirdd, perthyn i'w waith gryn safon, bywiogrwydd ac amrywiaeth. Fel ei gyfoeswyr cyfansoddodd Siôn Powel gywyddau a marwnadau yn efelychu'r hen feirdd, a charolau maith yn adrodd hanesion am Grist. Ond mae pynciau llosg y dydd hefyd yn rhan o'i gerddi a sonia hefyd am bethau a effeithiai arno ef yn bersonol. Adlewyrcha ei waith lafur gŵr a ysgrifennai i'r gymdeithas fel yr oedd hi yng Nghymru yn y ddeunawfed ganrif, ac i'r gymdeithas leol yn ei ardal ef. Ysgrifennodd hefyd i'w blesio ei hun ac efallai i gael dihangfa dros dro oddi wrth amodau caled bywyd. Gŵr o'r wlad yn ceisio ennill ei fywoliaeth fel gwehydd oedd Siôn Powel a chan mai diddordeb amser hamdden oedd barddoni iddo ef, mae'n rhyfeddol fod y fath raen ar ei gynnyrch. Yn wir, mae'r ffaith fod Ieuan Fardd wedi ysgrifennu cywydd marwnad iddo yn dyst o'i ddawn:

Prudd yw wyneb Barddoniaeth,
Mae'r gerdd a'r Gymraeg waeth;
Marw o Siôn, mawr was hynod,
Ap Hywel glân; pwy ail glod?

CERDDI CAETH

Cywydd Cwynfan y Bardd yn ei angen a'i erfyniad am lodr gan y Parchedig Mr Evan Evans, Curad Llanfair Talhaearn (detholiad)[157]

Ehud a fum i hyd f'oes,
Mae am hyn wayw i'm heinioes;
Canlyn a wnes, ddiles lanc,
Fawr chwant nwyfiant yn ifanc:
. . .
Diau mai felly deuais,
I wan oer gwynfan ar gais
Atoch Ieuan heb ateg,
Offeiriad Duw â phryd teg.
Llên ŵr ych yn llawn o ras,
Llonyddwych llawen addas;
Swydd wiw, eich cyngor sydd well,
Nog engyl yn y gangell.
Un eres ych o'r oes hon,
Bur ethol flaenor Brython,
A phrifardd a ffurf wauwr,
Cauedig wawd cu-deg ŵr.
Clywch fy nolef, bendefig,
Rhinweddol hyfrydol frig.
Mae oer gŵyn amur geni,
A chwant am ymbil â chwi,
Mal â syber ymerodr,
Mawr dda les, am rodd o lodr;
Gresynol rhy gwrs anhardd,
Gwael hyd y byd gweled bardd,

---

157 Atodiad 15.

Yn perchen pen diben doeth,
Danodd yn mynd yn dinoeth,
A'i ddwy ffolen, ddu ffwlach,
Drwg arw wedd yn dwr o grach;
Ac arfau'r wraig, oer fawr wŷth,
Danodir, yn dwyn adwyth.
Pob piog frech ei chrechwen,
O'm hôl a chwardd am fy mhen,
Dwg y brain fi'n deg heb rym,
Draw i'w nythle'n dra noethlym
Onis cair o naws cu wych,
O ledr gwyn, liawn lodr gennych.
Os ei gael o naws gwiwlan,
A wnaf mi rygyngaf gân,
O ddyfaliad fad wiw fodd,
Yn rhwydd i'r hael a'i rhoddodd.

**Cywydd i Ddafydd Jones o Drefriw i Erchi Llyfr,
sef y** *Cydymaith Diddan* **(detholiad)**[158]

. . .

Gwae fi'n awr, gaeaf a nos,
Oer och a gaf o'r achos;
Digymorth, digynhorthwy,
O Dduw Dad, amddifad wy';
Disgybl dilathr heb athraw,
Ys wyf yn dwyn brwyn a braw.
Yn iach i mi na chymar,
Na brawd, wych undawd, na châr,
Na chyfaill, naw och hefyd,

---

158 Atodiad 40.

Mor bur tra tramwyai'r byd.
Af yn fudan neu'n feudwy,
I'r man na welaf ŵr mwy,
Ac irad alarnadaf,
O hyd nes [y] gwawrio haf
A meirioli, cyni caeth,
Aeaf hwyr, iâ fy hiraeth.
Ar ôl hyn yr ail hoenaf,
Sud loyw goeth, os hoedl a gaf,
A deuaf, hwyr addefaf hyn,
Ŵr difost, ar dy ofyn;
A'm h'wyllys sydd, gan 'mhellad,
Dafydd, fy mhenllywydd llâd,
Dy gael, ŵr diogel iaith,
Gyd amod, yn gydymaith,
Annwyl, addfwyn yng Ngwynedd,
Yn lle Ieuan wiwlan wedd.
Buost reol ysgolddysg,
A threfn iawn, athro, fy nysg;
Da a doeth wyd, dod i'th was,
Di-gam daith, dy gymdeithas;
Ac os rhoi o gysur rhwydd,
Grym euraid, gyr im arwydd:
Dy lyfr glwys, dy lafur glân,
Da'i wedd, Gydymaith Diddan,
Lle caf i'm rhan ddiddanwch,
A diweddyd tristyd trwch,
A gweled gwaith, perffaith pur,
Hynodol rhyw hen awdur,
Ac iaith a gwaith, enwog wedd,
Cyfa' rediad, cyfrodedd,
Ac iesin fydr yn gyswllt,
Llwyr sain a dâl llawer swllt.

O ddarllen ei gymheniaith,
Llyfr a wellha ar fy iaith.

Os rhyng dy fodd ei roddi,
Naws mwyn, fel ernes i mi,
Cei dithau finnau, fwynwas,
Yn gydymaith, gwaith di-gas;
A rhof it fawl, ddidawl ddadl,
Tro ynwyf natur anadl.

Cywydd i Ieuan Owen o Ddyffryn-aur, a'i fab Robert Owen, i erfyn am Garfan Gwehydd (detholiad)[159]

Pwy yn ŵr da, pen ar dir?
Pe bai arch, pwy a berchir?
Pwy s'yw gael, hapusa gwedd,
Heb anair gyda bonedd?
Pwy'n bybyr o'r gwŷr a gaf,
A gair dwys gariadusaf?
Pob agwedd pwy heb ogan,
Piau'r glod a'r power glân?
Ple mae mwynach purach pen,
N'wn i na Ieuan Owen.

Dan nen p'le cenfydd dyn iach,
Ŵr acw ei rywiocach?
Pennaf yw fo lle bo barn,
Mewn tŷ, hefyd mewn tafarn,
Yn ŵr naturiol iawn iaith,
A diamur gydymaith.

---

159 Atodiad 33.

Cadarn yw pob darn o'i dŷ,
Yn deilwng ef a'i dyly.
Tir iawn glwys, tirion a glân,
Yw nefol ddyffryn Ifan;
Dyffryn â phryd hoff iawn ffrwyth,
Dyffryn o aur nid diffrwyth;
Dyffryn pur, dyffryn perwin,
Maenor fal Maelor am win;

. . .

Cywydd i Mr Robert Burchinshaw o'r Foelhedog yn Llansannan (detholiad)[160]

. . .

Mi nid allaf â'm tafod,
Adrodd rhif, aneirif nod,
Y prydyddwyr, pryd addwyn,
A wauodd fawl wiwdda fwyn
I fonedd glân a weddynt,
Goffâd am eu galwad gynt;
Eto addas hyd heddiw,
Mewn cof maent fel pe baent byw;
A sef a gofir hefyd,
O do i do tra bo byd.

Ni waeth i minnau weithian,
Lunio cerdd lawena' cân
Na chadw fy awen chwidir,
Gais gwan hwyl, i gysgu'n hir.
Bellach dihuna'n bwyllog,
Megis terfyn cyntun cog;

---

160 Atodiad 32.

Trydan glymiadau tradoeth,
A chân gerdd, wych awen goeth.

Awen
Dywed y bardd diwyd ben,
Dywed i bwy cân d'awen?

Bardd
Cân glod orhynod i'r rhai,
O gywyddwawd y gweddai;
Cân i Robert, cain rebydd,
Burchinsha, bura dyn sydd;
Rhy'ir i mi rhoi ar y mawl,
Ei achau, graddau gwreiddiawl;
Mae'n waedol o ffrydiol ffrwyth,
Tes eglur tywysoglwyth;

. . .

**Cywydd Marwnad Sion ap Rhisiart o Fryniog,
Bardd a Christion da, yr hwn a fu farw Ebrill 1af,
1764 (detholiad)**[161]

Deryw y lloer, nid araul,
Dull y rhod, dywyllu'r haul;
Dydd Ebrill, duodd wybren,
Yn llwyr, gorchuddiwyd â llen;
Dydd mwgwd, duodd megis,
Dychryn mawr, dechrau un mis;
Dydd blin, gadawodd heb les,
Dau oeraidd ddiffyg diwres;
Od oedd fawr dros ddwy awr draw

---

161 Atodiad 9

Diffyg haul, di-hoff giliaw,
Bu mwy diffyg, ddeublyg ddart,
Syn parhaus, Siôn ap Rhisiart.

. . .

Ei briod aeth, wiw bryd wen,
Bur leuad, heb awr lawen;
Dyfu i El'sbeth Dafis
Alar mawr am lawer mis,
Ochenaid drom a chŵyn trist,
Garw aruthraidd, gorathrist.
Blwyddyn yn ei herbyn hi,
Lawn o flin wayw fu leni;
Duw o'i maeth a aeth i'w ŵyl,
A'i geneth oedd gu annwyl;
Yn yr un flwyddyn yr âi
Y gŵr yn fwya garai.

. . .

Dyn fel Samuel oedd Siôn,
Da iawn gan Dduw a dynion,
Dyn diwarth yn dwyn diwyg,
Cymen ym marn llên a llyg.
Rhodio'r oedd ar hyd yr iawn,
Y ddaionus ffordd uniawn,
A llon oedd ei galon gu,
A thrôi fil i'w thrafaelu.
Glân od, pur galon ydoedd,
Purdeb yn ei wyneb oedd;
Ni charodd drin casineb,
Nac â blin air gablu neb;
Ei arfer a'i dymer da,
I'w fywyd ydoedd fwya;

. . .

Od aeth ef, fab doeth, i'w fedd,
O Fryniog a'i fawr rinwedd,
Lluddiwyd cymen awenydd;
Llai o fawl ym mhob lle fydd.
Ni cheir yn wâr fwyn barabl,
Lledach a fydd, llid a chabl;
Yma llwydd â mall addysg,
Naw mwy o anras i'n mysg;
Llai rhadau, doniau dynion,
Llai cariad sad ar ôl Siôn.

. . .

**Cywydd Marwnad Mab Bwlet, sef Cwb Milgi o
Gostowgast Siôn ap Robert, neu fel y gelwir ef yn
gyffredin, Siôn y Mul, yr hwn a yrasai ef yn garedigawl
annerch ar faeth at ei gyd helyddwas Harri ap William
ac yn ebrwydd efe a drengodd (detholiad)[162]**

Mae udo a bloeddio blin,
Rhuad oer yn Rhyd Eirin;
Hir a fydd galar Harri,
Mawr gŵyn ar ôl marw ei gi.
Cyw milgi, cam ei waelgefn,
Coliog oedd, beth cul ei gefn;
Lliw glo oedd, lleuog ei len,
Cwb i Fwlet, côb felen;
Tebyg i dwrch, llamffwrch lled,
Daear, ond nid cyn dewed;
Pen dreng llygoden Ffrengig,
A baw o amgylch ei big;

---

162 Atodiad 23.

A'i lygaid heb ddwl agor,
Yn llawn o gynrhawn a gôr;
A'i ddwyffroen ydoedd ddiffrwyth,
A thrwm o ewyn a thrwyth.
Fo udai a lleisiai'n llym,
Malai boer mal y burum.
Botymau, ormod dodrefn,
Yn rhedeg oedd 'rhyd ei gefn.
Truan oedd troi yn ei nyth,
Gwman ysig mewn esyth.
Och! Gwae in oll o golli,
Clustiau cath, daclused ci.
Cuchiau noeth, cachu a wnâi,
Ac ychydig a chwydai;
Fel hwch yn erthwch y nos,
Fo ochai pan f'ai achos;
Ac udai'n felltigedig,
Arth ddiawl, a chyfarthai'n ddig.
. . .
Er ei fitel a'i wely,
A'i dân, a'i 'mgeledd, a'i dŷ,
Bu farw y gelach crachlyd;
Fyth na bo'r fath yn y byd.

Cywydd yr Haul[163]

Os brodiaf gerdd ysbrydawl
Afraid i mi frodio mawl,
Neu lunio cân, yn ynfyd,
I wael beth a wêl y byd.
Mi a brydaf, mwy breudeg
Mawl hynod, haul melyn teg.
Fe gaid ein hynafiaid ni,
Ydoedd ddwl, yn d'addoli;
Os yw frwd dy eirias fry,
Fy hunan, ni wnaf hynny;
Addolaf yn ddialaeth
Y Nêr bendigaid a'th wnaeth,
A soniaf mewn naws heini
Prydferthwch dy degwch di.
Pwy all wawdio, pell ydwyt
Oleuni dydd, laned wyt?
Gwrthrych wyt, na edrych neb,
Ond anodd yn dy wyneb;
Dy orsedd, danllyd wersyllt
Dy liw a gâr gwâr a gwyllt,
Gan hawddgared gweled gwawr,
Dy wyneb, wedi Ionawr.
Cair caniad pêr aderyn,
A glas fynydd-dir a glyn
A daearen yn gwenu,
Dy gael nesnes, coethwres cu.

Gwn gwynfan, gwae ni ganfod,
At oerder hin, troi dy rod,

---

163 Atodiad 27.

A chrinwellt ar y gelltydd,
A dylu gwawr dail y gwŷdd,
A daear afliwgar lom
Ac oerni mawrddrwg arnom.
Bod yn oer, byd anaraul,
Yw'n bod ni hebot ti haul.
Daionus yw dy anian,
Rhyfedd yw dy degwedd dân.
Ys peth hardd, eiriasboeth wyt,
Sychedig des, iach ydwyt.
Lleibiaist ddyfnion afonydd,
Lle bu oerddwr, sychdwr sydd.
Y môr a'i wlyb mawr a'i led
Dwys awch, ni thyr dy syched.
Duw a'i gŵyr, mwy yw dy gylch,
Na'r eigion a'r tir ogylch.
Creadur fel cawr ydwyt
Ac yn dy lwybr, ewybr wyt.
Pa raid march dihafarchwaith
Yn y byd, na cherbyd chwaith,
I ddwyn nac un olwyn all
Dy derydr i dud arall?
Henaidd wyd, hyn a ddoedir
Huan teg, un oed â'n tir
Dy loywbryd ryw, belydr iach
Hoen wedd, nid yw heneiddiach,
Nac oerach man y gyrri
Na'r dydd y gwnaeth Dofydd di.

Dinas wyd, dy enw yw Sol,
Dinesig o dân ysol,
Corff o lymlliw, caer fflamllyd
Caerau boeth uwch cyrrau byd.

Tirion wyt ti ar y nen,
Teyrn ebrwydd, tarian wybren,
Llew nefol ar holl nifer,
Lliaws hardd, hoywa llu'r sêr,
Llyw da, glyw, lliwdeg, loywloer,
Llachar llâd, llewyrch i'r lloer;
Ti yw lleufer llawer llu,
Wyn desog blaned Iesu.
Un wedd, llewychi di'n wir,
Ar yr union a'r anwir;
Ond amlwaith, gryf oddaith gras
Y mynnaist fwy cymwynas
I lon weinidogion Duw,
Er ennill, nag i'r annuw.

Am dy wres tyner llesawl,
A'th olau gwych, a'th liw gwawl;
Gogoniant a gwiw gynnydd,
I'n Duw, tra bo haul na dydd.

Cywydd i'r Chwain (detholiad)[164]

Neithiwr yn eitha'r annedd,
Natur wyllt, nid da'r wedd,
Gan fyddin grasgrin, groesgrwydr
Cas arw fryd, cefais hir frwydr.
Ymladd yr oedd, aml dda ruthr,
Llu moroe, llym wayw aruthr,
A'r lle yr oedd eu lluarth
Rhwng dwy dewfras gynfas garth.
Ys codant megis cedyrn
Yn hyfedr ar fedr rhyw furn
Diwedd nos ar duedd nant
Dwyn f'einioes, dyna fynnant.
. . .

'I'r Ceiliog'[165]

Clywais aderyn, cu-lais, da, oriog,
Dan hoyw ddwyres o adenydd eurog,
Yn canu lleisiau ceinwiw, lluosog,
Mwyn ar foregwaith, mewn âr farugog;
A chân bereiddiach na chog – yw dy dôn:
Iechyd i'th galon, wych odiaeth geiliog.

---

164 Atodiad 24.
165 Atodiad 4.

Englynion i'r Gwyddau Gwylltion[166]

Rhyfedd gwel[d] gwedd y gwyddau – gwylltion
    Uwch gelltydd a chreigiau,
    Gan ehedeg yn heidiau,
    Hir-lwybr yn y gylchwybr gau.

Dinag rhont â'u hadenydd – gynhorthwy
    Gyfnerthol i'w gilydd:
    Y [g]adarnaf sythaf sydd
    I'r wannaf yn arweinydd.
A theg i gyfoethogion – gael addysg
    Y gwael wyddau gwylltion,
    I roi cymorth llawnborth llon
    Hyd y wlad i dylodion.

Englyn i'r Gair[167]

Cyn creu na golau na gwiwlen – lleuad
    Na llu y ffurfafen
    Na'r haul a'r pedair elfen
    Na gwraidd byd y Gair oedd ben.

---

166 Atodiad 35.
167 Atodiad 6.

CERDDI RHYDD

Carol Plygain ar y mesur 'Hir Oes i Fair', a elwir yn Saesneg 'Let Mary Live Long' (detholiad)[168]

Hosanna, Sant, Sant i Arglwydd y lluoedd;
Trwy'r ddaear a'r nefoedd, sain bloedd, Seion blant
    A ganant i gyd;
Dychryned y fall, a'i deyrnas flin dywyll
A dorrir yn gandryll, a sefyll nid all;
    Daw wellwell ein byd.
Yn geidwad, ni a gawn Dywysog da iawn,
    Duw Iesu ydyw Ef;
Mae'n frenin ardderchog a llywydd galluog,
    Eneiniog y nef.
Pob gallu, pob gwerth, awdurdod a nerth,
    Cân wrthrych di-fraw.
Mae'r holl greadigaeth dan gadarn reolaeth
    Llywodraeth ei law.

Dowch heddiw drwy ffydd, ar ddydd genedigaeth,
Ei deilwng gnawdoliaeth, i Fethlem heb gudd,
    Lle y gallwn ni gael
Golygiad gwiw les a'i gynnes deg wyneb,
A ddaeth o'i ddisgleirdeb heb wely na gwres
    I gôr asyn gwael:
Lle isel fel hyn a fyn Iesu gwyn
    I'w dderbyn gan ddyn.
Ni ddaw mo'r oen grasol i'r galon falch gnawdol,
    Llygreddol ei llun;

---

168 Atodiad 20.

Mae'r llety mor llawn nad ellir yn iawn
   I Frenin y ne'
Drwy lysoedd y ddinas gan fydol wŷr diras
   Ond lluddias rhoi lle.

. . .

Os caiff Iesu pur, trwy gywir ddibenion,
Ei dderbyn i'r galon, ni bydd e chwaith hir
   Yn segur ei swydd;
Trydd allan ar frys, y gwarthus ddrwg werthwyr
Pur enwog, a'r prynwyr fe a'u gwasgar fel us,
   Anweddus o'i ŵydd:
Ac mwy nid all fod yn Deml ddi-glod
   I eilynod dwl ainc;
Ceiff delw'r dyn Iesu ei chyfion ddyrchafu
   I fyny ar y fainc;
A'r hen bethau maith, ânt heibio ar eu taith
   Pan ddelo'r pryd hyn,
A'r dyn i well defnydd a wneir yn fwy celfydd
   O newydd yn wyn.

. . .

Gwahoddiad i Seion neu Ymdaith o'r Aifft i Wlad Canaan, mewn dull o ysbrydol filwriaeth y Cristion drwy anialwch y byd hwn i'r Ganaan nefol. Carol Nadolig ar fesur 'Cerdd y Winllan', neu 'King's Farewell' (detholiad)[169]

Dyma ddydd i orfoleddu,
Mae llawn achos llawenychu,
Am enedigaeth mewn iawn degwch
Oen Duw diddan a'n dedwyddwch.
Nawr mae llewyrch dydd yn gwawrio,
Haul cyfiawnder yn disgleirio,
    Heibio'r aeth gaeaf caeth,
Mwy hyfryd daeth hafddydd;
Goel ddibennol, ciliodd beunydd,
Yr hin gysgodion, oerion arwydd,
Gwelwyd blodau ar y ddaear,
Clywyd odiaeth ganiad adar,
    Wele'n llawn, egin grawn,
Y gawn ar y gwinwydd,
Ffrwythau Canaan, ffraeth eu cynnydd
Pur felysion o'r pêr laswydd.

Awn, awn o'r Aifft er gwaetha Pharo,
Paham y cymrwn ein caethiwo?
Ni gawn frenin yng ngwlad Canaan,
Tra gora'i gŵyn trugarog anian.
Treiddiwn, treiddiwn draw trwy'r cochfor,
Ni gawn Foses yn rhagflaenor,
    Cawn ger ein bron oleuni llon,
Er union arweiniad,
Y golofn dân, gwiwlan dyfiad,

---

169 Atodiad 13.

Yn fwy na llewyrch sêr a lleuad;
Ni fydd i Pharo a'i ben captenied
Ond y golofn niwl i'w gweled,
 Trodd y môr, ar eu llôr,
Gwnawn ninne'n gôr gwiwras
Ganu am lwyddiant gân mawl addas,
O rymus awen i'r Mesias.

. . .

Yn awr edrychwn oddi ar Nebo,
Ar Ganaan annwyl, ac awn yno.
Fe aeth yr Arch i fyny'n llawen,
O diroedd anial drwy'r Iorddonen:
O daliwn ninnau olwg arni,
Ni ddigwydd niwaid enaid inni;
 Cawn gymorth cu, oddi fry,
I'n tynnu trwy'r tonnau,
Gan ffydd a gobaith iawnwaith enwau,
Dyna'r gwir gyfeillion gorau.
Ac wedi treiddio'n wŷr tra addas,
Drwy Iorddonen draw i'r Ddinas,
 Cawn ganu claer delynau aur,
A disglair goronau,
A'r Oen addwyn o'i rinweddau,
A wisg amdanom wynion ynau.

Ni gawn weled y Cerubiaid
Sy' rai hoffaidd, a Seraffiaid,
Proffwydi glân, angylion nefoedd,
A merthyron môr a thiroedd;
Cawn hefyd ddewis ar ein hamdden
Gyda'r llu caredig llawen,

A'r gân ddi-gudd, nos a dydd,
A fydd i'w rhyfeddu,
Cywir d'wysog, cariad Iesu,
Am ein dwyn yn fwyn i fyny;
Cawn wledda'n felys drwy orfoledd,
Ar fwrdd yr Oen o'i fawrdda rinwedd;
    Cawn uwch sêr, efo'r Nêr,
A mwynder cymundeb,
Fyth tros oesoedd tragwyddoldeb
Weled yno ei wlad a'i wyneb.

Cerdd i ofyn cawell pysgota gan John Hughes i Richard Lewis ar 'Conseit Prince Rupert' [170]

Y Cymro nodedig, caredig ei ryw,
Pur ydych, priodol, gwybodol yn byw,
Un Siôn yw'r dyn â'i synnwyr dwys,
Ap Huw hael fab, un hylaw fwys;
A'i briod Margad leuad lwys, sydd lesol iawn ddau,
    Yn byw mewn parch a chariad,
O'u geirda'r un gydgordiad, fwyn glymiad yn glau,
Mae mil a'u hanner rhion i'w ffyddlon goffau.

Nid oes o dref Gaerludd gyfarwydd i Fôn,
Un dyn mor gelfyddgar, naws hawddgar, â Siôn,
Am drin y ddaear liwgar laith,
Crasu a malu wiwgu waith,
Prydyddwr diddan mwynlan maith, pêr araith pur wych,
    Am chwarae'r ddewisedig,
Y feiol foesol fusig, ddiryfyg mae'n ddrych,
A chanu ar ffliwt hawgar, fawl claiar fel clych.

---

170 Atodiad 41.

Ple gwelir mewn addysg mor hyddysg â hwn,
A feder drin genwer ac arfer y gwn,
Mae'n byw heb oerddwys bwys y byd,
Mewn ethol glau fywioliaeth glyd,
Ac ar ei gaeau wair ac yd yn olud an-wael,
    Ac amryw anifeiliaid,
Ceffylau, gwartheg, defaid, ein difyr ŵr hael,
Yn fuddiol iawn feddiant ar ffyniant di-ffael.

O fewn ei dŷ annedd, digonedd sy' i'w gael,
O bob naturioldeb a phurdeb di-ffael,
A phob ryw fusig flysig lais,
A llawer cywraint waith di-glais,
Na fedr pybyr synnwyr Sais a'i ddyfais mo'i ddallt,
    Mewn hyfryd bleth eiliedig,
O ddellt a gwiail helig, bonheddig tan allt,
A'u naddiad cyn feined i'w gweled â gwallt.

Wrth glywed canmoliaeth wych odiaeth i chwi,
Mae'n chwennych eich annog gymydog i mi,
Un Risiart Lewys fedrus fwyn,
Swydd arw gaeth sydd oer ei gŵyn,
O eisiau cawell dellt ar dŵyn a'i dyniad ar goel,
    Geill wneud iddo bleser
Wrth fyned efo'i enwer, traws fenter tros foel,
I gario brithyllied Llyn Aled llawn oel.

Pan ddalio fo frythyll yn drythyll heb droi,
Nid oes gan y dynan le rwan i'w roi,
Ond ffedog led afrywiog raen,
O fodd aflêr a fedd o'i flaen,
Yn gweithio gwaliau, muriau maen, mae honno'n llawn calch,
    Brithylliaid yn galchedig,
Ni phryn un gŵr bonheddig, anniddig iawn walch,
Mae moethus fon'ddigion anfwynion yn falch.

Os rhowch chwi gryn gastell o gawell i'r gŵr,
I gario brithylliaid ar dyniad o'r dŵr,
Fe'i gesyd ar ei gefn ynghrôg,
Bydd megis ceffyl lled[g]ul llog,
Sul a gwyl dan Sul y gog, yn llwythog mewn llaid,
    Fe ddeil yn llawer afon,
Lle bytho grethyll brithion, anhirion gryn haid,
Fe fisia bob brithyll yn erchyll os naid.

Ni feddir gan Risiart, mae'n resyn y chwant,
I dalu am y cawell ond cywion o blant,
Os tâl bendithio amdano'n deg,
Mewn gwyrthiau gwych tan garthu'i geg,
Ni ddaw o'i ben na llw na rheg na hagar air croes,
    Fe dd'wed ryw weddïau
[Yn] beraidd hwyr a borau, ar ei liniau'n ddi-loes,
At rwydd-deb i'r haelaidd ŵr rhwyddaidd a'i rhoes.

Cywydd Marwnad Siôn Powel yn Swydd Ddinbych, Bardd a Christion Da, gan Ieuan Fardd (detholiad)

Prudd yw wyneb Barddoniaeth,
Mae'r gerdd a'r Gymraeg waeth;
Marw o Siôn, mawr was hynod,
Ap Hywel glân; pwy ail glod?
E aeth i gyd waith y gân
Yn sothach neu us weithian;
A'r gŵr a aeth i'r gweryd
A wnai'r gerdd yn aur i gyd:
Ef a lifiai fel afon
Ei Awen frwd yn ei fron;
A dawn-gamp, priod angerdd
Y beirdd gynt a'r beraidd gerdd.
Aeth Siôn i Seion fel sant
I ganu iawn ogoniant
I Dduw Iôn, ac i'w ddinas,
I rym Messiah a'i ras.
Wedi treiddiaw yn llawen
Trwy ffrwd o dir Pharaoh hen,
Iawn gân Foesen a geni
A chân yr Oen, wych iawn Ri.
Mae llawen lef yn nefoedd
Dy ddwyn, rhag mor ddedwydd oedd,
Er y ddraig, a'r mawr eigion,
I weled tir y wlad hon:

. . .

Ninnau, mewn tonnau mae'n taith,
O olwg y tir eilwaith;
Yn ofni'r môr, goror gau,
Garw eigion, a'r oer greigiau;
Rhag i'r don, pan ferwo'n wyllt fôr,
Yn ein hing, ddwyn ein hangor;
A'r gwynt, er ein dirfawr gŵyn,
Ein gyrru i fôr-gerwyn:
Yno, wrth fordwyo'r don,
Ymrwygo o'r môr eigion,
A'n gwthio i suddo'n syn
(Ni rydd nawdd) i'r anoddyn;
A dryllio'n drwch y cwch cau
Yn gregyn wrth for-greigiau;
A'n llyw, gan yr hagr wall hwn,
Ar don o waelod annwn;
Eisieu rheol sêr awyr,
A'r maen wrth dramwyo'r myr.
Tithau, yn anneddau nef,
Wedi gortrech, wyd gartref,
Mewn diogel dawelwch,
A phlas ein Penadur fflwch;
A chywydd newydd a wnâi
Yn deilwng i'r a'i dylai:
Ni cheni di, 'n wych hoenwawr,
Ddim mwy onid i Dduw mawr.
Gwedi darfod trallod draw
O'r diwedd, a mordwyaw,
Ein hael Nêr a'n hwylio ni
Olynol i'w oleuni,
I eilio, bawb yn wiwlan,
Ei fawl mewn tragwyddawl gân.

ATODIAD

RHESTR O GERDDI AC UN LLYTHYR
GAN SIÔN POWEL

Nodwyd llinell gyntaf pob cerdd yn nhrefn y wyddor, y teitl a'r ffynhonnell. Mae'r cerddi a nodwyd mewn teip trwm yn ymddangos yn y detholiad ar d. 88-108. Lle bo cerdd wedi'i chyhoeddi mewn llyfr, cylchgrawn neu newyddiadur nodwyd hynny. Yn achos cerddi nas cyhoeddwyd nodir lleoliad un llawysgrif. Am restr gyflawn o'r holl lawysgrifau gweler:

https://maldwyn.llgc.org.uk

Y mae testunau bron y cyfan o gerddi Siôn Powel i'w cael yn:

Eurgain Fflur Williams, 'Cyfeillion Barddol Twm o'r Nant' (Traethawd M.A. Bangor, 2001)

ATODIAD

1. Aeth y byd ennyd An-Nuw (Englyn i fydolion) HC, 7 Ionawr 1952, 2; G 19, 95.
2. Canu yr ydwyf cwyn beredig (Awdl i ladd Eiddig dros Ddafydd ab Iago) G 19, 93.
3. Clodforwn Dduw'r gogoniant (Carol Nadolig ar fesur 'Gwel yr adeilad') *Y Geninen*, 6 (1888), 201-2.
4. **Clywais aderyn cu lais da oriog (Hir-a-thoddaid i'r ceiliog) GT i. 22; HC, 28 Ionawr 1952, 2.**
5. Cwrw a meirch nid eirch un doeth (Englyn i gwrw Dinbych) HC, 28 Ionawr 1952, 2.
6. **Cyn creu na golau na gwiwlen (Englyn) Ba llsgr. 402, 113.**
7. Daeth yr awen hen o'i hoywnant (Englyn i Dwm o'r Nant) LlGC llsgr. 1238, 212.
8. Dafydd ail ogwydd i Iago (Englyn i Ddafydd James) LlGC: CMA 14912, [35].
9. **Deryw y lloer nid araul (Cywydd marwnad Siôn ap Rhisiart o Fryniog, 1764) PH 190.**
10. Dirfawr lled hyllfawr dwllfwg (Englyn i'r mwg) HC, 21 Ionawr 1952, 2; *Cymru*, 25 (1903), 120.
11. Dos brysur lythyr i lam (Pedwar englyn i John Roberts, clociwr o Wrecsam) G 19, 92.
12. Dy berth wiw brydferch o bryd (Englyn i Dduw) G 29, 94.
13. **Dyma ddydd i orfoleddu (Carol Nadolig ar yr alaw 'Cerdd y Winllan') *Y Geninen,* 6 (Gŵyl Ddewi, 1888), 77-8.**
14. Dyn wy' rhy glafaidd dan arw glwyfau (Odlig alarus) *Y Brython*, 5 (1862-3), 113.
15. **Ehud a fum i hyd f'oes (Cywydd gofyn am lodr gan Ieuan Fardd) PH 188.**

16. Ein pôr a'n pen (Dau bennill 'gorchest y beirdd' i Dduw) G 19, 94.

17. Fy mhen fy mherchen fy mhôr (Englyn) LlGC llsgr. 347, 9.

18. Gad eilio mwyn gynghanedd (Emyn ar fesur 'Gwel yr Adeilad') *Dwy o gerddi newyddion* (Trefriw, 1784), 5-8 (BWB 360).

19. *Gerddi crogedig harddwych (Englyn i'r sêr) HC, 19 Awst 1919, 3.
    *Ceir dwy fersiwn arall o'r llinell gyntaf: 'Dysglau arian disgleirwych' LlGC llsgr. 562, 214, a 'Wele sêr liaws eurwych' HC, 21 Ionawr 1952, 2.

20. **Hosanna Sant Sant i Arglwydd y lluoedd (Carol plygain ar yr alaw 'Hir oes i Fair') LlGC llsgr. 6146, 73.**

21. I'r doeth a'r annoeth o'r unwedd (Naw englyn i drefn bresennol y byd) G 19, 96.

22. Llu'n hwylio llawen helynt (Cywydd i gwyno am orchestol waith yr hen feirdd o achos lleied o ymgeledd sydd iddynt) PH 194.

23. **Mae udo a bloeddio blin (Cywydd Marwnad Mab Bwlet) BBGC 146-8.**

24. **Neithiwr yn eitha'r annedd (Cywydd i'r chwain) Ba llsgr. 15599, 169.**

25. Od wyf wehydd diwahardd (Cywydd annerch Evan Evans (Ieuan Fardd)) PH 187.

26. Organ cu wiwlan yw côg (Chwech englyn i'r ceiliog) LlGC llsgr. 1238, 239.

27. **Os brodiaf gerdd ysbrydawl (Cywydd i'r haul) *Y Greal*, 1 (1805), 23; *Yr Haul*, 1 (1836), 139; *Y Brython*, 4 (1861), 455.**

28. Pa Nêr o nifer nefawl (Cywydd ar ddioddefaint Crist) PH 198.

29. Pob Cristion ar dir iawn glir yn ein gwlad (Cerdd ym mherthynas ein cariad at Dduw. Alaw: 'Bore Ddydd Llun') LlGC llsgr. 9221, 5.

30. Pob dyn anghrefyddol a garo ffyrdd diafol (Egwyddor y diafol neu'r union ffordd i uffern. Alaw: 'Gadael Tir') LlGC llsgr. 6146, 81.

31. Pob prydydd puredig blethiedig ddoeth awdwr (Hanes pannwr Aberdeunant, Llansannan. Alaw: 'Llef Caerwynt') LlGC llsgr. 562, 210.

32. **Prydodd Horas melwas mad (Cywydd Moliant Robert Byrcinsha y Foelhedog, Llansannan) BBGC 151-4.**

33. **Pwy'n wrda pen ar dir (Cywydd gofyn carfan gwehydd gan Ieuan Owen a'i fab Robert o Ddyffryn-aur, Llanrwst) PH 192.**

34. Rhof annerch draserch drwsiad (Naw englyn i Ddafydd Gruffudd o Blas Turbridge) LlGC llsgr. 348, 339.

35. **Rhyfedd gweled gwedd y gwyddau (Tri englyn i'r gwyddau gwylltion) HC, 7 Ionawr 1952, 2; G 19, 95.**

36. Teiliwr iawn hwyliwr haeledd (Tri englyn i Robert Edwart, teiliwr) G 19, 92.

37. Tomas cu urddas cerddi (Englyn i Dwm o'r Nant) LlGC llsgr. 1238, 239.

38. Trysorwn ben-twr o siwrwd (Englyn mwys a yrrwyd i Glwb Llansannan pan oeddid yn lleihau dogn yr aelodau cleifion) HC, 28 Ionawr 1952, 2.

39. Wyt swyddog enwog anian (Tri englyn i'r Angau) LlGC llsgr. 1238, 239.

40. **Y bardd mwyn, ebrwydd a mad (Cywydd gofyn y *Cydymaith Diddan* gan Ddafydd Jones o Drefriw) BBGC 148-51.**

41. **Y Cymro nodedig caredig ei ryw (Cerdd i ofyn cawell bysgota gan John Hughes dros Richard Lewis. Alaw: 'Conseit Prince Rupert') LlGC llsgr. 562, 212.**

42. Yr unig ddarn o ryddiaith gan Siôn Powel sydd wedi goroesi yw'r llythyr a anfonodd at Ddafydd Jones o Drefriw. 'Llythyrau at Ddafydd Jones o Drefriw wedi

eu copïo a'u golygu gan G.J. Williams'. CLlGC, Atodiad, Cyfres 3, Rhif 2 (1943), 21-3.